U0130515

心一堂術數古籍珍本叢刊

書名：《地理解醒》附《續補》《大元空口訣》（盧白廬藏民國刊本）
系列：心一堂術數古籍珍本叢刊　堪輿類　第三輯　343
作者：【清】唐學川、范惺齋
主編、責任編輯：陳劍聰
心一堂術數古籍珍本叢刊編校小組：陳劍聰　素聞　鄒偉才　虛白盧主　丁鑫華

出版：心一堂有限公司
通訊地址：香港九龍旺角彌敦道六一〇號荷李活商業中心十八樓〇五—〇六室
深港讀者服務中心‧中國深圳市羅湖區立新路六號羅湖商業大厦負一層〇〇八室
電話號碼：(852)9027-7110
網址：publish.sunyata.cc
電郵：sunyatabook@gmail.com
網店：http://book.sunyata.cc
淘寶店地址：https://sunyata.taobao.com
微店地址：https://weidian.com/s/1212826297
臉書：https://www.facebook.com/sunyatabook
讀者論壇：http://bbs.sunyata.cc/

版次：二零二二年三月初版
平裝

定價：港幣　一百二十八元正
新台幣　五百八十元正

國際書號：ISBN 978-988-8583-38-6

香港發行：香港聯合書刊物流有限公司
地址：香港新界荃灣德士古道二二〇—二四八號荃灣工業中心十六樓
電話號碼：(852)2150-2100
傳真號碼：(852)2407-3062
電郵：info@suplogistics.com.hk
網址：http://www.suplogistics.com.hk

台灣發行：秀威資訊科技股份有限公司
地址：台灣台北市內湖區瑞光路七十六巷六十五號一樓
電話號碼：+886-2-2796-3638
傳真號碼：+886-2-2796-1377
網絡書店：www.bodbooks.com.tw
台灣秀威書店讀者服務中心：
地址：台灣台北市中山區松江路二〇九號一樓
電話號碼：+886-2-2518-0207
傳真號碼：+886-2-2518-0778
網絡書店：http://www.govbooks.com.tw

中國大陸發行　零售：深圳心一堂文化傳播有限公司
深圳地址：深圳市羅湖區立新路六號羅湖商業大厦負一層〇〇八室
電話號碼：(86)0755-82224934

心一堂微店二維碼

心一堂淘寶店二維碼

心一堂術數古籍 珍本 整理 叢刊 總序

術數定義

術數，大概可謂以「推算（推演）、預測人（個人、群體、國家等）、事、物、自然現象、時間、空間方位等規律及氣數，並或通過種種『方術』，從而達致趨吉避凶或某種特定目的」之知識體系和方法。

術數類別

我國術數的內容類別，歷代不盡相同，例如《漢書・藝文志》中載，漢代術數有六類：天文、曆譜、五行、蓍龜、雜占、形法。至清代《四庫全書》，術數類則有：數學、占候、相宅相墓、占卜、命書、相書、陰陽五行、雜技術等，其他如《後漢書・方術部》、《藝文類聚・方術部》、《太平御覽・方術部》等，對於術數的分類，皆有差異。古代多把天文、曆譜、及部分數學均歸入術數類，而民間流行亦視傳統醫學作為術數的一環；此外，有些術數與宗教中的方術亦往往難以分開。現代民間則常將各種術數歸納為五大類別：命、卜、相、醫、山，通稱「五術」。

本叢刊在《四庫全書》的分類基礎上，將術數分為九大類別：占筮、星命、相術、堪輿、選擇、三式、讖諱、理數（陰陽五行）、雜術（其他）。而未收天文、曆譜、算術、宗教方術、醫學。

術數思想與發展——從術到學，乃至合道

我國術數是由上古的占星、卜筮、形法等術發展下來的。其中卜筮之術，是歷經夏商周三代而通過「龜卜、蓍筮」得出卜（筮）辭的一種預測（吉凶成敗）術，之後歸納並結集成書，此即現傳之《易

經》。經過春秋戰國至秦漢之際，受到當時諸子百家的影響、儒家的推崇，遂有《易傳》等的出現，原本是卜筮術書的《易經》，被提升及解讀成有包涵「天地之道（理）」之學。因此，《易・繫辭傳》曰：「易與天地準，故能彌綸天地之道。」

漢代以後，易學中的陰陽學說，與五行、九宮、干支、氣運、災變、律曆、卦氣、讖緯、天人感應說等相結合，形成易學中象數系統。而其他原與《易經》本來沒有關係的術數，如占星、形法、選擇，亦漸漸以易理（象數學說）為依歸。《四庫全書・易類小序》云：「術數之興，多在秦漢以後。要其旨，不出乎陰陽五行，生尅制化。實皆《易》之支派，傅以雜說耳。」至此，術數可謂已由「術」發展成「學」。

及至宋代，術數理論與理學中的河圖洛書、太極圖、邵雍先天之學及皇極經世等學說給合，通過術數以演繹理學中「天地中有一太極，萬物中各有一太極」（《朱子語類》）的思想。術數理論不單已發展至十分成熟，而且也從其學理中衍生一些新的方法或理論，如《梅花易數》、《河洛理數》等。

在傳統上，術數功能往往不止於僅僅作為趨吉避凶的方術，及「能彌綸天地之道」的學問，亦有其「修心養性」的功能，「與道合一」（修道）的內涵。《素問・上古天真論》：「上古之人，其知道者，法於陰陽，和於術數。」數之意義，不單是外在的算數、歷數、氣數，而是與理學中同等的「道」、「理」--心性的功能，北宋理氣家邵雍對此多有發揮：「聖人之心，是亦數也」、「萬化萬事生乎心」、「心為太極」。《觀物外篇》：「先天之學，心法也。……蓋天地萬物之理，盡在其中矣，心一而不分，則能應萬物。」反過來說，宋代的術數理論，受到當時理學、佛道及宋易影響，認為心性本質上是等同天地之太極。天地萬物氣數規律，能通過內觀自心而有所感知，即是內心也已具備有術數的推演及預測、感知能力；相傳是邵雍所創之《梅花易數》，便是在這樣的背景下誕生。

《易・文言傳》已有「積善之家，必有餘慶；積不善之家，必有餘殃」之說，至漢代流行的災變說及讖緯說，我國數千年來都認為天災，異常天象（自然現象），皆與一國或一地的施政者失德有關；下至家族、個人之盛衰，也都與一族一人之德行修養有關。因此，我國術數中除了吉凶盛衰理數之外，人心的德行修養，也是趨吉避凶的一個關鍵因素。

術數與宗教、修道

在這種思想之下，我國術數不單只是附屬於巫術或宗教行為的方術，又往往是一種宗教的修煉手段--通過術數，以知陰陽，乃至合陰陽（道）。「其知道者，法於陰陽，和於術數。」例如，「奇門遁甲」術中，即分為「術奇門」與「法奇門」兩大類。「法奇門」中有大量道教中符籙、手印、存想、內煉的內容，是道教內丹外法的一種重要外法修煉體系。甚至在雷法一系的修煉上，亦大量應用了術數內容。此外，相術、堪輿術中也有修煉望氣（氣的形狀、顏色）的方法；堪輿家除了選擇陰陽宅之吉凶外，也有道教中選擇適合修道環境（法、財、侶、地中的地）的方法，以至通過堪輿術觀察天地山川陰陽之氣，亦成為領悟陰陽金丹大道的一途。

易學體系以外的術數與的少數民族的術數

我國術數中，也有不用或不全用易理作為其理論依據的，如揚雄的《太玄》、司馬光的《潛虛》。也有一些占卜法、雜術不屬於《易經》系統，不過對後世影響較少而已。

外來宗教及少數民族中也有不少雖受漢文化影響（如陰陽、五行、二十八宿等學說。）但仍自成系統的術數，如古代的西夏、突厥、吐魯番等占卜及星占術，藏族中有多種藏傳佛教占卜術、苯教占卜術、擇吉術、推命術、相術等；北方少數民族有薩滿教占卜術；不少少數民族如水族、白族、布朗族、佤族、彝族、苗族等，皆有占雞（卦）草卜、雞蛋卜等術，納西族的占星術、占卜術，彝族畢摩的推命術、占卜術……等等，都是屬於《易經》體系以外的術數。相對上，外國傳入的術數以及其理論，對我國術數影響更大。

曆法、推步術與外來術數的影響

我國的術數與曆法的關係非常緊密。早期的術數中，很多是利用星宿或星宿組合的位置（如某星在某州或某宮某度）付予某種吉凶意義，并據之以推演，例如歲星（木星）、月將（某月太陽所躔之宮次）等。不過，由於不同的古代曆法推步的誤差及歲差的問題，若干年後，其術數所用之星辰的位置，已與真實星辰的位置不一樣了；此如歲星（木星），早期的曆法及術數以十二年為一周期（以應地支），與木星真實周期十一點八六年，每幾十年便錯一宮。後來術家又設一「太歲」的假想星體來解決，是歲星運行的相反，週期亦剛好是十二年。而術數中的神煞，很多即是根據太歲的位置而定。又如六壬術中的「月將」，原是立春節氣後太陽躔娵訾之次而稱作「登明亥將」，至宋代，因歲差的關係，要到雨水節氣後太陽才躔娵訾之次，當時沈括提出了修正，但明清時六壬術中「月將」仍然沿用宋代沈括修正的起法沒有再修正。

由於以真實星象周期的推步術是非常繁複，而且古代星象推步術本身亦有不少誤差，大多數術數除依曆書保留了太陽（節氣）、太陰（月相）的簡單宮次計算外，漸漸形成根據干支、日月等的各自起例，以起出其他具有不同含義的眾多假想星象及神煞系統。唐宋以後，我國絕大部分術數都主要沿用這一系統，也出現了不少完全脫離真實星象的術數，如《子平術》、《紫微斗數》、《鐵版神數》等。後來就連一些利用真實星辰位置的術數，如《七政四餘術》及選擇法中的《天星選擇》，也已與假想星象及神煞混合而使用了。

隨着古代外國曆（推步）、術數的傳入，如唐代傳入的印度曆法及術數，元代傳入的回回曆等，其中我國占星術便吸收了印度占星術中羅睺星、計都星等而形成四餘星，又通過阿拉伯占星術而吸收了其中來自希臘、巴比倫占星術的黃道十二宮、四大（四元素）學說（地、水、火、風），並與我國傳統的二十八宿、五行說、神煞系統並存而形成《七政四餘術》。此外，一些術數中的北斗星名，不用我國傳統的星名：天樞、天璇、天璣、天權、玉衡、開陽、搖光，而是使用來自印度梵文所譯的：貪狼、巨門、祿存、文曲，廉貞、武曲、破軍等，此明顯是受到唐代從印度傳入的曆法及占星術所影響。如星命術中的《紫微斗數》及堪輿術中的《撼龍經》等文獻中，其星皆用印度譯名。及至清初《時憲曆》，置閏之法則改用西法「定氣」。清代以後的術數，又作過不少的調整。

此外，我國相術中的面相術、手相術，唐宋之際受印度相術影響頗大，至民國初年，又通過翻譯歐西、日本的相術書籍而大量吸收歐西相術的內容，形成了現代我國坊間流行的新式相術。

陰陽學——術數在古代、官方管理及外國的影響

術數在古代社會中一直扮演着一個非常重要的角色，影響層面不單只是某一階層、某一職業、某一年齡的人，而是上自帝王，下至普通百姓，從出生到死亡，不論是生活上的小事如洗髮、出行等，大事如建房、入伙、出兵等，從個人、家族以至國家，從天文、氣象、地理到人事、軍事，從民俗、學術到宗教，都離不開術數的應用。我國最晚在唐代開始，已把以上術數之學，稱作陰陽（學），行術數者稱陰陽人。（敦煌文書、斯四三二七唐《師師漫語話》：「以下說陰陽人謾語話」，此說法後來傳入日本，今日本人稱行術數者為「陰陽師」）。一直到了清末，欽天監中負責陰陽術數的官員中，以及民間術數之士，仍名陰陽生。

古代政府的中欽天監（司天監），除了負責天文、曆法、輿地之外，亦精通其他如星占、選擇、堪輿等術數，除在皇室人員及朝庭中應用外，也定期頒行日書、修定術數，使民間對於天文、日曆用事吉凶及使用其他術數時，有所依從。

我國古代政府對官方及民間陰陽學及陰陽官員，從其內容、人員的選拔、培訓、認證、考核、律法監管等，都有制度。至明清兩代，其制度更為完善、嚴格。

宋代官學之中，課程中已有陰陽學及其考試的內容。（宋徽宗崇寧三年〔一一零四年〕崇寧算學令：「諸學生習……並曆算、三式、天文書。」「諸試……三式即射覆及預占三日陰陽風雨。天文即預

定一月或一季分野災祥，並以依經備草合問為通。」

金代司天臺，從民間「草澤人」（即民間習術數人士）考試選拔：「其試之制，以《宣明曆》試推步，及《婚書》、《地理新書》試合婚、安葬，並《易》筮法，六壬課、三命、五星之術。」（《金史》卷五十一・志第三十二・選舉一）

元代為進一步加強官方陰陽學對民間的影響、管理、控制及培育，除沿襲宋代、金代在司天監掌管陰陽學及中央的官學陰陽學課程之外，更在地方上增設陰陽學課程（《元史・選舉志一》：「世祖至元二十八年夏六月始置諸路陰陽學。」）地方上也設陰陽學教授員，培育及管轄地方陰陽人。（《元史・選舉志一》：「（元仁宗）延祐初，令陰陽人依儒醫例，於路、府、州設教授員，凡陰陽人皆管轄之，而上屬於太史焉。」）自此，民間的陰陽術士（陰陽人），被納入官方的管轄之下。

至明清兩代，陰陽學制度更為完善。中央欽天監掌管陰陽學，明代地方縣設陰陽學正術，各州設陰陽學典術，各縣設陰陽學訓術。陰陽人從地方陰陽學肄業或被選拔出來後，再送到欽天監考試。（《大明會典》卷二二三：「凡天下府州縣舉到陰陽人堪任正術等官者，俱從吏部送（欽天監），考中，送回選用；不中者發回原籍為民，原保官吏治罪。」）清代大致沿用明制，凡陰陽術數之流，悉歸中央欽天監及地方陰陽官員管理、培訓、認證。至今尚有「紹興府陰陽印」、「東光縣陰陽學記」等明代銅印，及某某縣某某之清代陰陽執照等傳世。

清代欽天監漏刻科對官員要求甚為嚴格。《大清會典》「國子監」規定：「凡算學之教，設肄業生。滿洲十有二人，蒙古、漢軍各六人，於各旗官學內考取。漢十有二人，於舉人、貢監生童內考取。附學生二十四人，由欽天監選送。教以天文演算法諸書，五年學業有成，舉人引見以欽天監博士用，貢監生童以天文生補用。」學生在官學肄業、貢監生肄業或考得舉人後，經過了五年對天文、算法、陰陽學的學習，其中精通陰陽術數者，會送往漏刻科。而在欽天監供職的官員，《大清會典則例》「欽天監」規定：「本監官生三年考核一次，術業精通者，保題升用。不及者，停其升轉，再加學習。如能黽勉供職，即予開復。仍不及者，降職一等，再令學習三年，能習熟者，准予開復，仍不能者，黜退。」除定期考核以定其升用降職外，《大清律例》中對陰陽術士不準確的推斷（妄言禍福）是要治罪的。《大清律例·一七八·術七·妄言禍福》：「凡陰陽術士，不許於大小文武官員之家妄言禍福，違者杖一百。其依經推算星命卜課，不在禁限。」大小文武官員延請的陰陽術士，自然是以欽天監漏刻科官員或地方陰陽官員為主。

官方陰陽學制度也影響鄰國如朝鮮、日本、越南等地，一直到了民國時期，鄰國仍然沿用着我國的多種術數。而我國的漢族術數，在古代甚至影響遍及西夏、突厥、吐蕃、阿拉伯、印度、東南亞諸國。

術數研究

術數在我國古代社會雖然影響深遠，「是傳統中國理念中的一門科學，從傳統的陰陽、五行、九宮、八卦、河圖、洛書等觀念作大自然的研究。……傳統中國的天文學、數學、煉丹術等，要到上世紀中葉始受世界學者肯定。可是，術數還未受到應得的注意。術數在傳統中國科技史、思想史，文化史、社會史，甚至軍事史都有一定的影響。……更進一步了解術數，我們將更能了解中國歷史的全貌。」（何丙郁《術數、天文與醫學中國科技史的新視野》，香港城市大學中國文化中心。）

可是術數至今一直不受正統學界所重視，加上術家藏秘自珍，又揚言天機不可洩漏，「（術數）乃吾國科學與哲學融貫而成一種學說，數千年來傳衍嬗變，或隱或現，全賴一二有心人為之繼續維繫，賴以不絕，其中確有學術上研究之價值，非徒癡人說夢，荒誕不經之謂也。其所以至今不能在科學中成立一種地位者，實有數因。蓋古代士大夫階級目醫卜星相為九流之學，多恥道之；而發明諸大師又故為惝恍迷離之辭，以待後人探索；間有一二賢者有所發明，亦秘莫如深，既恐洩天地之秘，復恐譏為旁門左道，始終不肯公開研究，成立一有系統說明之書籍，貽之後世。故居今日而欲研究此種學術，實一極困難之事。」（民國徐樂吾《子平真詮評註》，方重審序）

現存的術數古籍，除極少數是唐、宋、元的版本外，絕大多數是明、清兩代的版本。其內容也主要是明、清兩代流行的術數，唐宋或以前的術數及其書籍，大部分均已失傳，只能從史料記載、出土文獻、敦煌遺書中稍窺一鱗半爪。

術數版本

坊間術數古籍版本，大多是晚清書坊之翻刻本及民國書賈之重排本，其中豕亥魚魯，或任意增刪，往往文意全非，以至不能卒讀。現今不論是術數愛好者，還是民俗、史學、社會、文化、版本等學術研究者，要想得一常見術數書籍的善本、原版，已經非常困難，更遑論如稿本、鈔本、孤本等珍稀版本。在文獻不足及缺乏善本的情況下，要想對術數的源流、理法、及其影響，作全面深入的研究，幾不可能。

有見及此，本叢刊編校小組經多年努力及多方協助，在海內外搜羅了二十世紀六十年代以前漢文為主的術數類善本、珍本、鈔本、孤本、稿本、批校本等數百種，精選出其中最佳版本，分別輯入兩個系列：

一、心一堂術數古籍珍本叢刊

二、心一堂術數古籍整理叢刊

前者以最新數碼（數位）技術清理、修復珍本原本的版面，更正明顯的錯訛，部分善本更以原色彩色精印，務求更勝原本。并以每百多種珍本、一百二十冊為一輯，分輯出版，以饗讀者。

後者延請、稿約有關專家、學者，以善本、珍本等作底本，參以其他版本，古籍進行審定、校勘、注釋，務求打造一最善版本，方便現代人閱讀、理解、研究等之用。

限於編校小組的水平，版本選擇及考證、文字修正、提要內容等方面，恐有疏漏及舛誤之處，懇請方家不吝指正。

心一堂術數古籍 珍本 整理 叢刊編校小組

二零零九年七月序

二零一四年九月第三次修訂

南滙唐若泉先生編輯

地理解醒

坿門人續編

每冊定價小洋叁角

唐若泉先生遺像

范惺齋君肖影

壽萱子自嘆桐陰讀書圖　村居好。村居好。竹籬
茅舍清溪繞。屋小地僻少塵埃。老榦橫枝聽啼鳥。
鳥聲稀。觀池沼。妄察陰陽究星昴。何如質魯性兼
頑。幸賴同袍益我巧。心難了。多懷抱。椿彫猶幸榮
萱草。妻女教織子教耕。稚子雛孫書探討。並非爲
利與爲名。只因祖訓當稽考。游藝曾出三泖前。歸
共鄰翁飲海島。古云以鏡照容顏。以人自照是非
曉。爰就丹青繪拙容。桐花悅性書堪寶。不思桃李
鬧春風。惟將枕石遺徽紹。工拙不計詠長歌。寸心
好向同心表。

道貌高超行必方。有緣敘話浣花唐。鬢眉蒼映梧
桐碧。肺腑清明氣脤黃。教子體修崇智德。（公之
子一清諸生一醫生一南洋公學專科生）和妻
孝侍守農桑。星奇地學探原數。我欲追隨附鳳凰。
惺翁於丁巳荷月因錢粱唐氏延相宅在浣花處
相見望而知爲抱道君子曾示箋中桐陰讀書圖
小影徵詩册囑詠遂撰七律呈請　哂存正所謂
投機之合不致藏拙

青村悔痴道人隅平方公梵待定草

地理解醒者吾邑唐君若泉所著以為江湖術士談天說地終日如在醉鄉復自欺欺人大聲罵座此眞不解之宿酲也惟彼欲以不解解而君特為解不解於陰陽二宅之理辨別醕醨有此解不解庶以不解解者忽得眞解不敢以狂藥迷人鴆毒害己再逞其醉後狂言誠地理家一劑清涼散也今夫陽宅以安生人陰宅以安死者古有傳書所謂使民養生喪死無憾也養生喪死無憾王道之始也世有王道之始而可聽醉漢指揮不求其端不訊其末終為大惑不解者哉觀君所論祇就地理共見共聞還他實際絕不炫異矜奇而江湖術士所挾以欺世盜名者無不盡情道破書中援据悉遵　欽定協紀辨方開卷六條具見其概此外巒頭理氣兼而有之獨無一語妄及禍福其意欲人人得此眞解更不橫生枝節貽害無窮尤醒世之盛心也嘗記宋祖有言東家之西卽西家之東有何干犯或云宋祖天下一家小民何敢援以自解然而陰陽一鬼神也鬼神一天地也天地一理也以東家造葬之故殃及西家無此理卽無此天地卽無此鬼神何獨地理之陰陽得自行其禁令耶且如年神二十四方位薄海皆遵乃外洋各國在中土營造宮室全不拘管若埋葬則更不

論山向方因思吾中土喪葬古禮士庶踰月亦不拘管山向方亦不聞不拘管山向方而動輒得咎從可知天地鬼神本自公平正直東牽西扯皆江湖術士爲之耳顧可聽其簧鼓而不爲喚醒乎余素不諳地理然君與余皆儒者也儒者亦知天理而已矣請書簡端以告世之醉心地理者時

光緒五年陽月　　　朐山學博王蓉生撰

地理一法精微奧妙前人言之詳矣而人往往以小道目之非人小之坐井者自小之也夫地師稱爲堪輿顧名思義道孰有大於此者乎無如淺鄙者流於地理眞銓全未講究一經間盲欣然就道甚至門前冷落自薦平原於是營造之家有意圖邀福而反得禍者有甫經謀始而卽中止者此訐彼攻紛紛聚訟此固不可以口舌爭也南沙唐君若泉貢入成均先時遊顧廣文金圃先生門下精研數學十餘稔而後講求地理非沾沾爲名利計君蓋有見夫世之詡詡然以地理自負者如入醲甕之中心骨俱醉爰作地理解醒二卷明白曉暢如白太傅詩老嫗能解君於此道殆所謂人皆醉而我獨醒與戊辰春遇歲試旅松館出其卷請序於翹翹不敏於此道尤

不入門何敢妄贅惟與君有舊雨交旣蒙下顧展而閱之頗覺豁目醒心不啻爲飲醇醪者於背後澆一冷水也誠有功於世道人心哉不禁樂而爲之序

光緒六年春三月下浣芸胥楊士翹記於雲間客次

地理之說由來舊矣自禹貢分三條四列遂爲後世言地理者所自祖至郭璞著葬經而地師之術徧行於天下厥後名師著作汗牛充棟總之不外巒頭理氣而已然巒頭顯而易見理氣隱而難明楊曾廖賴雖有傳書類多精奧非小巫所能探其秘亦何怪今之江湖術士日在醉夢中而肆其囈語也宗兄若泉酷嗜奇書天文而外專心地理十有餘載復從雲間名家高蔚雲先生遊得其元妙爰慨時下盲師謬執私見貽害偏多遇有營造紛紛聚訟一如宿醒之未醒用是編輯古人緒論間參己見發明未宣之蘊彙爲地理解醒一書上下二卷讀之明白曉暢是不特爲當世之鄉愚解其惑幷爲近世之盲師醒其醒也是爲序時

光緒庚辰年元月　　　　籤發河南知縣宗弟乃勤謹誌

欽加三品頂戴卽選道江蘇松江府正堂加十級紀錄十次博　　　　爲

通飭事光緒七年十月二十三日據奉南紳士職廩生監李麟書唐宗仁金廷弼楊士翹唐學川顧德澄王允升周耕華稟稱切照紳民安葬各有定期棍徒阻撓本干法紀松郡各邑近來有種無賴之徒胸無點墨妄稱堪輿平空看礙以爲生計遇有葬事往往藉干礙爲由煽惑鄉愚多方攔阻既葬之後附近村民稍有疾病動輒慫唆抬往吵鬧百般抑勒不詐不休看礙之徒得以從中漁利或有死喪更爲奇貨葬親之家惟願買靜求安出錢了事不與計較以致若輩視同利藪愈肆無忌串詐分肥日甚一日富者已視葬事爲畏途貧者自覺無力而久擱停棺纍纍皆由安葬艱難之故也伏思停棺不葬例有明條掩骼埋胔仁政所重且擇吉避凶原有

欽定協紀辨方暨時憲書可稽其餘異術本不足據光天化日之下豈容魑魅晝行惟查此等棍徒名爲九流行蹤無定其人非出一縣其風闔郡皆然不求通檄示禁貽害無窮 職等仰體

大憲興仁除莠爲此聯名環求伏乞俯鑒地方流弊恩檄各廳縣一體刊刻簡

明告示徧貼城鄉嚴行禁約隨時查究一面曉諭居民及時安葬不准鄉愚阻撓騷擾并諭各善堂認眞收埋以慰幽魂而安泉壤閭閻戴德枯骨沾恩等情到府據此查停棺不葬最爲弊俗節經本府曉示並諭飭堂董查明無主無力之家分別辦理收埋在案據稟近有託爲堪輿藉稱看礙鄉愚被其煽惑輒向葬主詐擾以致營葬艱難愈多停擱此等惡習合郡皆然亟宜從嚴懲創合亟通飭爲此合移貴廳希札到該縣立卽遵照查明如有不法棍徒藉端阻葬卽行隨時提案究辦一面出示諭禁並照會善堂董事認眞收埋毋任稍有暴露切切須移特札

光緒七年十一月　　初二日行文

移川沙廳札七縣

地理解醒目錄

上卷

地理解醒補遺目錄

論太極　論五行
論兩儀　論三元
論四象　論風水冲射
論八卦　論向水配合
論三元不敗　論立穴左右
執笏水　論精神魂魄
先後天用法　那些子
平洋七忌　吞吐沉浮

地理解醒卷上

南邑唐學川若泉氏輯　男鳴鳳 鳴鏘 鳴球 孫修爵同校

門　人　范星齋　馬晉卿　趙子宣
　　　　裴紫祥　瞿辛田
小門人　潘欽明　瞿洪山　閔俊卿

闢鄉愚硬牽八線之謬

川弱冠時即嗜地學。詩文之暇。流覽通書。每聞鄉中葬事。有八線礙之說。（俗誤以子午卯酉辰戌丑未為八線）翻閱諸書。並無一見。遍考同人。質之先進。亦曰無之。及從遊於雲間高蔚雲師。師曰。此世俗串詐之流弊也。得賄者曰不礙。不得賄而冀行賄者曰有礙。（川又問）此說從何而起。曰從前擇日安葬。不限定在大臘。必須百步之內。格清神煞。不致干犯。後來業此術者。愈趨愈下。略識羅經上幾字。以訛傳訛。不辨意義。遂至誤認成此。敝俗近日此風更甚。嘗有無恥之徒。無人延請。專以造言生事。煽惑愚氓。暗圖賄賂。不遂其意。即憑空結撰。謂某線礙彼家。某線礙此家。明理者聞之。固多不信。鄉愚無知往往輕則鬥口費錢。重則阻葬涉訟。甚或毆打傷命。釀成巨禍。再有庸碌之輩。陰一句。陽一句。一似八線有底。一似八線無底。使人疑惑不定。又有使乖之人。明知八線之本無。而同流合汙。不肯直言其無。所以世俗之人。只道八線果眞有底。疑心莫釋。禍胎從此種矣。豈知地貴龍眞穴的。有此惡習。焉能點定眞穴。此都是無行地師。平素不肯用心習學。作此絕子亡孫之事。自誤誤人。貽禍不淺。川欲覺悟斯世。用記片言。以告世之學地理者。有書爲證。查看協紀自明。

礙方之說。書固有之。礙線之說。書實無之。線是何物。而力量可以礙人乎。夫造葬二事。時未交臘。不隔河道。百步之內。方道有神殺。有制則可用。無制則不可犯。直要格清一方。非止一線而已也。二十四位。有殺則方方宜避。無殺則方方不忌。不拘定何方。妄將八線硬牽。造比葬而尤重。蓋葬暫而造久也。若交大臘。諸神朝天矣。方位多空矣。一局之內。所仍宜避者。亦甚寥寥而已。今且問你八線之礙。什麼意義。出於何書。書上有的。舉世可行。書上無的。你敢胡言亂語。擾害地方。不過欲騙幾個錢耳。世上事賺錢者多。何一不可作。而必欲以此害人詐人哉。

地理一法。眞礙者亦有之。今反以不礙爲礙。以眞礙爲不礙。眞礙者何。詳說於後。

金神方

宗鏡曰、金神忌修方動土。犯之主目疾。蓋目屬肝。肝屬木。金能尅木也。葬事不忌。

三白方

永甯曰、三白方、不忌大將軍、太歲、大小月建、官符、等疵、

論隔河

元經謂人家動作、如隔河則不忌。

古云寸水當大山。或逢神殺不相干。

葬墳撮要

一鄉村市鎮、坟墓來龍上不可安坟。恐損他人也。前後左右亦宜謹愼。此看地時卽宜留心。臨時悔之晚矣。

一村市上手做坟則村市必敗。人家坟墓上手做坟亦然。自家祖坟上手尤不可。若在下手不妨。

一神廟前後做坟。則陰靈不安。子孫必敗。
一村市、、坟墓來龍上不可動土掘井開池。損人性命。倘行年金神三殺太歲方。其禍尤速。
一造坟或下有古墓。卽當以土掩之。或讓出。或就古墓上安坟。名曰官上加官。屢見吉祥。不可毀壞。
一坟已安甯無大故不可妄遷。浮厝得氣。卽宜抱棺砌壙。或抱柩堆土。不可輕移。致損人敗家也。

神殺合禁步數 載三台

太歲八十步大將軍一百步博士黃旛豹尾金神白虎俱六十步伏兵官符病符死符歲刑飛廉年黑方俱五十步大禍劫殺歲殺歲破蠶官蠶室破敗五鬼俱四十步五鬼畜官喪門弔客俱三十步太陰奏書災殺大耗力士俱二十步小耗一十五步
以上神殺俱遵　時憲書所載摘錄其所禁忌占步忌穿鑿若有破壞修營候太歲日下出遊諸神殺併工修之至還位日暫止

論十字

青囊奧語云。第四奇明堂十字有元微。明堂十字。卽穴內十字。十字有縱有橫。俱宜清脫。若有房屋。或古墓。彼此皆凶。以向爲轉移。不拘定何方何字。此立穴之至要者也。今末學膚淺。反置十字於不問。誤將書上所無理上不通之八線。惑世禍人。荒謬甚矣。

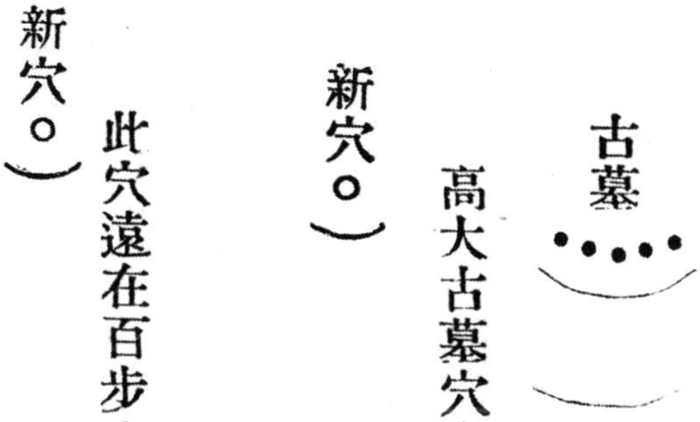

古墓

高照山

高大古墓穴右不通風小房絕

新穴

新穴

此穴遠在百步之外不妨

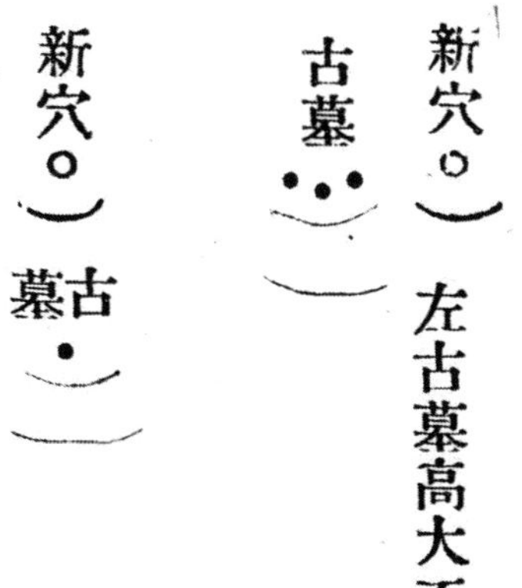

新穴

左古墓高大不通風絕長

古墓

新穴

古墓

後面不通風中房絕

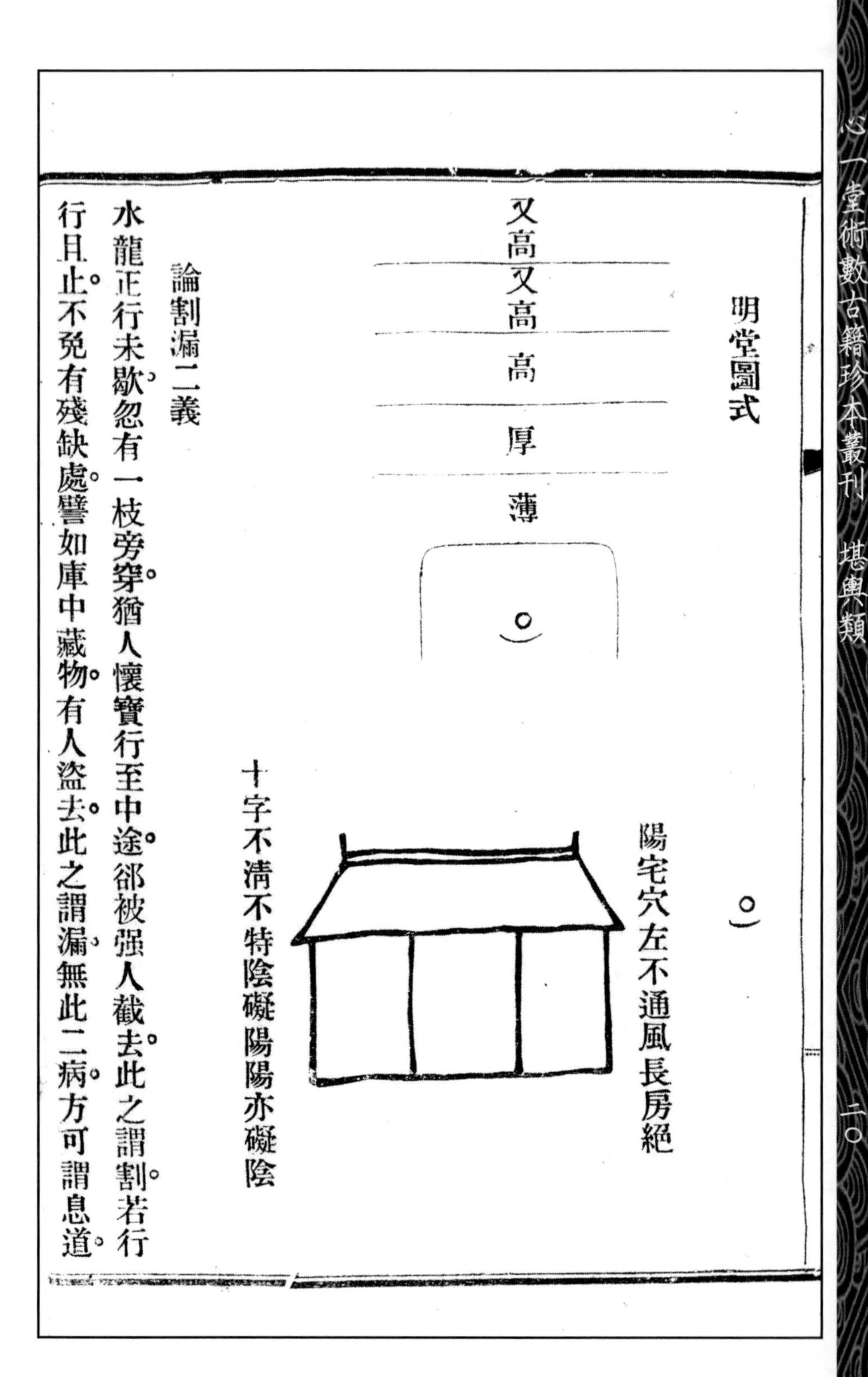

論割漏二義

水龍正行未歇。忽有一枝旁穿。猶人懷寶行至中途。卻被强人截去。此之謂割。若行行且止。不免有殘缺處。譬如庫中藏物。有人盜去。此之謂漏。無此二病。方可謂息道。

平洋六病

衝乃當面直來之水　撞或左或右兩宮直來　走去而無情之水　飛止而無情之水　刑斷頭砂類　殺尖頭砂類

此平洋六病也。若當面來而曲者曰朝。兩旁來而曲者曰拱。去而句留者曰顧家。止而委蜿者曰繫戀。如此則無刑殺之患。而享沖和之福矣。

以上字字血脉。天玉三傳。隱而未發者大半於斯。學者當合參之。

論四面皆水地

凡地四圍皆水。地局小。謂之囚地。穴之必絕。若地局大。謂之獨圩地。雖不通陸路。亦有吉壤。不知概以無龍目之。動稱絕地。謬極矣。楊公豈不云乎。行到平洋莫問龍。但看水遶是眞蹤。然猶恐人之迷而不悟也。又曰天下軍州總是空。何曾撑著後頭龍。分明見者生疑惑。不下空龍下死龍。死龍怎似空龍活。龍動之時天地闊。不信但看州縣塲。盡是空龍活潑潑。可知死龍者大塊之頑氣。今人所通尚者也。空龍者天一之靈氣。楊公所最重者也。但楊公書詞微妙。淺見者反相詆誚。曰誠如所論。則坤輿大地竟可置之不用也。不知土爲地之肉。水爲地之血。血肉本是相須。不可偏廢。但有地而無水。猶有肉而無血。求其生氣。必不可得。曰。然則得水之地。必無敗絕者耶。曰。何爲其然也。穴之富貴與敗絕。其中作法有異。皆所以見水龍之徵應。又何疑於水龍之非龍。百里長朝而結軍州大郡。水中地湖蕩局。全無根蒂而得水泛。蔭不嫌無氣也。且可引動地中之氣。死龍反作生龍。而配其雌雄也。觀此則知以水爲龍。非虛語也。而實地行龍之義。當在其次矣。

論高低起伏

高尺寸卽爲起。低尺寸卽爲伏。高一寸卽爲山。低一寸卽爲水。如此體段。最難捉摸。非目明心巧者不能辨認。

論地水相稱

書云。地寬厚而水不顧者。有他顧之憂。水太盛而砂不足者。有覆宗之禍。小水欲緊。大水欲寬。大水近邊莫尋穴。下後人丁絕。小水亂灣細察踪。扦著出三公。又云。平洋大地何爲踪。東西只認水爲龍。藏蹤閃跡在田中。水繞是眞龍。此龍不離水。水不離龍之謂也。

龍法

高山流水兩條龍。分道奏奇功。世人不識平洋體。都把山龍擬。詎知平地水爲龍。細察現眞蹤。水龍卽是山龍樣。眠體星辰相。水峯排插卽山峯。秀氣百年鍾。水龍體質五行全。變化正難言。或土或金或火木。隨處龍棲泊。大江本是幹龍體。氣散無眞聚。必須生出嫩枝條。花木發夭夭枝水盤旋止不流眞龍在裏頭。蟠得眞龍氣不洩。發福無休歇。龍神洩處短枝多。界插不糢糊。界得眞龍頭角淸。愈見有精神。更有水龍奇妙格。撐背如山立。項門接著後來龍。葬可奪神功。非惟坵墓坐當空。軍州理一同。元武長朝百十里。方是軍州地。水沖龍背下空龍。此法本楊公。不信但看荷葉地。四面皆環水。何曾有脈地中連。富貴出天然。須地局大方好再看湖中癡蕩龍。也出大豪雄。渾如鷗鳥浸虛空。何處去尋龍。一言鑿破鴻濛竅。扞作皆眞兆。請從空處看龍神。精義妙無論。更有陰陽交媾法。剖悉與君說。水龍弔起地中龍。對待配雌雄。此是形家眞妙訣。前賢多秘密。吾今發出釋疑心。傳於後來人。

穴法

前篇龍法爲君言。穴法又宜參。穴是龍神眞結構。氣脈都收受。尋龍識穴點龍睛。頃刻便飛騰。看穴先須識五星。詳載水龍經。五星聚秀結成垣。何德可承擔。星垣鉗有三十六。無緣休著目。不如隨地相星辰。點穴救人貧。流神一抱如弓樣。便是金星象。曲折悠揚最有情。水宿現眞形。直硬無灣名曰木。此星難發福。必須生出節芽來。然後可安排。可信火星如燄。側下後生災。式法宜剪火去挨金。化殺作權星。土星方正性和平。破腹產奇英。散中取聚穴難尋。收攝氣歸身。渟渟滴滴池湖脈。正面君須識。直水迎朝深受格。退後終須吉。曲流氣象勢來雄。遠點避其鋒。棄死挨生法最精。動靜測其情。時而有穴居龍首。水盡君知否。時而有穴居龍腹。水流環一曲。時而有穴居龍尾。水出之方是也。有雙雙巧結成。驪珠光夜明也。有祥雲捧月輪。湧月落湖心也。有眞龍潛水底。朝案山來會。奇奇怪怪結龍胎。留與福人來。縱橫顚倒搜尋出。怪穴眞奇闢。沖天獨火燄燒金。閃爍吐光明。悠揚弱水逢堅土。力厚彌深固。重重覆覆在深林。不怕木來侵。森森衆木遇強金。斲削反成林。五星繚亂紛紛雜。必有眞星出。

一星卓立衆星朝。俯伏似臣僚。地靈盤結應星文。大造秉權衡。踏徧江湖遇亦稀。緘口不須題。請從垣外究精微。三格頗相宜。坐水騎龍格第一。悠久眞無敵。其次挾龍水側朝。合矩步雲霄。前朝曲水攀龍格。坐得流神吉。更加弔角與飛邊。穴法自周全。又有美中不足形。此處要詳論。穴體忽然生一凹。風入非佳兆。前後旁邊若有虧。公位按房推。一篇穴法俱精妙。說出人通曉。勸君細去認星辰。不出五行形。精得五星穴自明。到處有人欽。

水法 另有圖俟續刻

光明如鏡聚天心。富貴好家聲。水流屈曲似生蛇。世代享榮華。倘然直走不回頭。退盡好田牛。水象形弓初上弦。家內足田園。若是過堂弓一反。立見貲財散。當腰一反最無情。枉死少年人。水若抱身復抱身。家富斗量金。抱身太逼裹頭城。誤下絕兒孫。水流出去又朝回。衣錦晝榮歸。若是斜牽形反走。客死在他州。抱城曲轉如牛角。銀瓶金盞托。擺頭反出兩分開。家業化塵埃。水若墳前執一笏。下後高官出。笏頭倒轉是搥胸。官事少亡凶。水如插筆兩邊排。薦舉有文才。倘然反插破墳腰。少死定無逃。

大怕如鎗直射墳。射著死兒孫。左邊射入長房當。定主有刑傷。向頭射入中男死。右射三房否。刀鎗惡水號天罡。臨刑到法塲。火叉十字名交劍。徒配强人見。忽然伸脚似鐮鈎。做賊夜行偸。水橫一字似綳繩。骨肉少恩情。面前八字水分流。父母總成讐。水形粗細象麻繩。斷出弔樑人。飄飄斜出如裙帶。婦女還情債。蛾眉蹺脚最邪淫。月下伴情人。明此一篇看水法。好歹從渠說。更加作法辨詳明。挾術自通神。

砂法

龍穴旣成當辨砂。失一便非佳。主是龍兮臣是砂。於理不宜差。護衛眞龍氣會通。八面有威風。凡是山龍眞大結。平地從何覔。平洋砂法不同山。左右不須攔。左右高高不露風。子孫絕無蹤。不如空闊乃爲良。葬可發書香。後高亦主兒孫絕。低空是正法。惟有穴前不可低。財耗應無疑。平田高尺卽爲砂。貧富不曾差。砂要門前起。拜堂端拱不尋常。顧穴多情若抱弓。衣祿自然豐。遠如階級漸增高。家內產英豪。羅列高低疊在前。貫朽不知年。又有好砂隨水出。奇秀眞無匹。玲瓏巧妙筆難描。體格最清高。旗鼓排衙事事奇。到處使人迷。交床踏節并展誥。無一非精妙。或如玉几橫爲案。貴顯榮華斷。或如印笏面前排。領職拜京臺。或如筆硯苑然呈。翰苑有聲名。或是倉箱或是庫。財穀應無數。或、如注盞或銀瓶。豪富冠鄉城。或如琴鶴或龜蛇。修煉入仙家。左右排來衞穴星。芙蕖水面擎。重重後托列如屏。撐住後龍身。簇聚波心似列星。結構有精神。水鄉多有砂如此。只要留心視。賤砂亦在水中生。看出露乖形。水反砂形隨水反。此處何須戀。縱然龍好出奸臣。不必細追尋。水折鉤回砂刺面。盜賊徒流見。砂如裂碎破旗形。刦掠勢縱橫。亂衣舞袖及掀裙。娼妓主淫奔。葫蘆賣藥出醫人。倒藥自亡身。曲尺鉗槌技藝人。多作賤砂稱。奸邪貞正總由砂。徵應必無差。砂名繁雜有千般。筆下寫全難。只在隨機相得眞斷法可傳名。

此言平洋之砂與山不同。山宜坐滿。洋宜坐空。山之左右宜龍虎二砂拱夾。平洋宜左右放空。蓋後空主壽。左右低空主丁旺也。玉鏡經云。壽從天柱得。丁從腰裏出。若觀富與貧。明堂看堆積。由是觀之。平洋惟穴前宜高。若後與左右皆宜空曠低平。不宜夾實也。

論案訣

一案生來不動身。果然賢主對嘉賓。說與世人渾不識。層層高起面前親。又云伸手摸着案家藏千萬貫。

論分金

中氣當避。乘氣故取三七放棺。旺氣宜乘。分金亦取三七加向。

此言乘氣坐穴。迎生避殺之法也。三七者、二十四山。每山分九分。其七分三分處是也。一二分。八九分處。則入山太淺。而犯雜氣。四五六分。則入宮太深。而犯殺氣。蓋二十四山之中。地支則犯正冲殺。而干維又是大空亡也。惟三分七分處。正當分金之丙丁庚辛。不淺不深。爲干維中和之地。不孤不虛。爲五行旺相之鄉。故乘氣與加向。皆以此爲用也。

論立向

凡來龍當先就本身格其骨。次就穴塲格其位。總之不可出卦。凡數折之水與環抱之水。皆當格其骨。格準曲水之骨。方能識龍。格準抱穴之水。方能識局。識龍方能合元。識局方能定向。格橫抱水是子午。當立卯酉向。是寅申當立巳亥向。斷不可走作。

又須看其四勢。宜立南向。最爲吉利。東西次之。至論北向。須面前有砂案可立。否則難免北風之吹。不可立。

論金井作法

葬者藏也。最喜藏風聚氣。若高露則氣不聚。風不藏。便非佳地。金井太深。氣從上過。太淺氣從下過。須置棺於不深不淺之間。譬如甑中蒸物。不著於水。不離於水。總之以界水爲憑。界水深則金井可深。界水淺則金井宜淺。深不可過三尺。隨地酌量。愼毋粗忽。

論龍特異

書云。數龍並出孰爲先。長短高低是妙元。衆短要從長處覓。衆長須向短中抨。高下亦當依此訣。石山原在土星邊。君今但指朝山看。朝應無情定是偏。此則以長短高低。土石及朝應之特異者。爲正龍也。法取衆長特短。衆短特長。衆小特大。衆大特小。衆直特曲。衆曲特直。衆低特高。衆散特聚。

論氣色訣

龍有氣運。有氣色。氣運妙而難見。氣色顯而易明。山有紫色。如烟霧之象。乃天降帝王之府。有紫色無烟霧之態。實公卿屢產之鄉。紅如脂樣。聖帝班彩禮而下瑤池。白似粉粧。明王托玉簫以引鳳。重重黃甲。定有青氣一團。濟濟將軍。也須黑峯數箇。近觀藍氣挺生豪傑賢人。遠望浮雲。多是神仙術士。紅黃相雜。縱好不過大富之基。青紫相兼。關山遂見奇勳之建。此是秘藏元訣，時師休得輕傳。

地理解醒卷上終

地理解醒卷下

南邑唐學川輯　男鳴鳳鳴球鏘　孫修爵同校
門　人　范星齋　馬晉卿　趙子宣
　　　　裴紫祥　瞿辛田
小門人　潘欽明　瞿洪山　閔俊卿

鑿井法

夜間以水盛器。置地上。若見星多者。下必有甘泉。掘之卽得。

論井

房前井。兒生瘦。堂後井。癆瘵成。中宮井。害脾胃。當門井。鬼作祟。傷龍脉。人丁替。至於方向以九宮生旺爲妙。如不合生旺。則以方論之。訣曰、子上開井出顚人。丑上兄弟不相親。寅卯辰巳方多吉。不利午戌地。求津大凶。亥未方開井。申酉先凶後吉。論又有取艮乙巽丙丁庚方井。以爲全吉。

作灶法

當辰巳間隙地。先掘去上五寸。然後取土用之。須新磚淨水。不可用壁泥相雜。作灶餘泥不可泥井。井餘土不可泥灶。犯之大凶。又烟囱不可安在正屋中柱一架。犯之主傷家長。

總論井灶

井不可在中庭。井不可在來龍上。卯不穿井。井水不香。勿塞故井。主耳聾目瞎。男女跨井。女人祀灶。皆不吉。廳屋有灶。主災厄。井灶不可相連。主虛耗。井灶相看。男女亂。井北灶南。子忤逆。井畔栽花事不興。廳屋房前莫開井。灶神不可向東北。主退敗。

論門前

門前獸頭。指官災疾病至。　門前直屋。家無餘穀。　門前有路似火字。歲煞加臨災禍至。　門前有路直射。名穿心殺。主家主心痛橫死。

論大門

大門破壞。必不聚財。　大門大小傾側。或突出突進。皆主破財。　門上椽子大小。夫婦不和。

論堦沿

起步堦沿中斷者。必多跌蹼。

論面簷

面簷斷而接。主斷弦續弦。

天井放水

放水之法宜曲折注三神。乙辛丁癸小神也。甲庚壬丙中神也。乾坤艮巽大神也。宜由小入中。由中入大。若倒亂則生禍。或由小而竟大。無中神亦可。由中入大。無小神亦可。由小入中。無大神亦可。忌穿房穿梁穿門。皆放水要訣。又云門下出水財不聚。

天井式

書云屋內庭心闊且長。兒孫量大愛堂皇。窄小狹長成一字。多生女子少生郞。略宜匾闊。不可直長。如三間堂屋。以中間闊狹爲則。略加增減亦可。天井內潔淨。無瘟疫之災。天井溝瀆不可塞。主聾盲。中庭種樹財不聚。

論屋箭

門前有箭最難當。屋後冲來一樣傷。久遠居來終遇禍。定然破敗少年亡。

論有廳無堂

造得廳來不造堂。家無主屋苦恓惶。廳高尺許堂低尺。也主孤兒少婦當。

論樓

樓不可太高。孤樓如一字。人財兩敗。樓前有箱樓吉。樓後有箱樓如燕尾。不吉。凡孤樓主出寡婦、

論屋式

陽宅與陰基不同。陰基只要龍好穴好下砂好。若陽宅則三者之外。屋式尤爲緊要。宜左右前後相稱。間架均勻。形式整齊吉。邊多邊少凶。不論平屋高樓。宜單間。不宜雙間。

高低一定式

前層側廂皆宜低於正堂。後層元武則宜高於正堂。前層過高、名客勝主。出人昏迷。

兩廂若高名奴欺主。孤寡常招。後層若低。元武受風。作事多迍。又正堂爲腹。前層爲頭。左右廂爲手足。前層之後。兩廂之首爲頸。正堂之旁兩廂之中爲腰。頭上不宜缺陷低小。若兩廂之首另造一二小屋。如廂房之向者。主投河自縊。有路亦然。小屋橫造。如前層之向者。名啣屍。主路死他鄉。空缺則爲斷頸。主、外亡自弔。腰上不宜有路。常招鬼怪盜賊。亦主自縊。前層後層。不宜與正堂各向。若自外而入者。主異姓同居。或招贅壻。自內而出者。遠出外亡。自外而入者。從外數至內也。如前層未向正堂丁向。前層左首向外。右首向內。數從左起。則自外而入矣。自內而出者。從內數向外也。如前層丁向正堂未向前層左邊向內右邊向外。數從左起。則自內而出矣。

總論屋舍

前低後高世出英豪。有東無西。家無老妻。有西無東。家無老翁。前後柱相對。家業日進。前後柱不對。孤寡子孫絕。宅中聚水汪汪。田蠶不吉。入門三分曲必定有財祿。古跡靈壇。神前廟後。皆不可居。屋高地窄。墻垣破敗。門戶歪斜。椽頭露齒。破敗屋也。屋宇方正。四簷均平。墻無缺陷。福壽屋也。正脊龍腰。不可中斷。主傷屋主。

論靈芝

歷驗幾處。陰地生芝。固是貴徵。屋內生芝。多見蕭索。（陽宅新建不在此論）南朝梁武帝四年秋八月。魏有芝生於太極殿。　侍中崔光上表曰。氣蒸成菌。生於墟落濕穢之地。不當生於殿堂高華之處。今忽有之。誠足異也。夫野木生朝。野鳥入廟。古人皆以爲敗亡之象。

論本命等四日

凡與用事人。干比支比。爲本命日。干比支沖。爲本命沖日。干尅支比。爲干鬼日。干尅支沖。爲干鬼沖日。此四日止註祭祀宴會。餘事不註。

凡冠婚起造。忌用本命日。惟安葬則不忌化命本命日。

論交節日

凡交節日。子正初刻至寅正三刻交節者。爲已交節。則用下月用事。卯初初刻至夜子初三刻交節者。爲未交節。則兼上下兩月用事而參取之。同者註。不同者不註。其吉神則用下月鋪註。

地理解醒卷下終

地理解醒補遺

南邑唐學川輯　男鳴鳳　鳴鏘 鳴球　孫脩爵校閱

門人　范星齋　馬晉卿　趙子宣

　　　裴紫祥　瞿辛田

小門人　潘欽明　瞿洪山　閔俊卿

論河洛

蔡節齋曰。河圖數偶。偶者靜。靜以動爲用。故河圖之有合皆奇。一合六。二合七。三合八。四合九。易之吉凶生乎動。動靜者必動而後生也。　洛書數奇。奇者動。動以靜爲用。故洛書之有合皆偶。一合九。二合八。三合七。四合六。範之吉凶見乎靜。動者必靜而後成也。　胡玉齋曰、河圖以生成分陰陽。以五生數之陽。統五成數之陰。而同處其方。陽內陰外。生成相合。對待以立其體。交泰之義也。　洛書以奇偶分陰陽。以五奇數之陽。統四偶數之陰。而各居其所。陽正陰偏。奇偶既分。流行以致其用。尊卑之位也。　河圖陽靜陰動。二四六八。動而體有以立。陽動陰靜。一三七九。動而用有以行。

河圖取順生數相得有合數於是四九一六一陰陽三八二七一陰陽陰陽五行之數變化而鬼神吉凶生矣。

論太極

水之盡處。卽龍之起處。所謂水到窮時太極明是也。這着認定。辨得分明。則全局不失矣。

論兩儀

經曰。陽若無陰定不成。陰若無陽定不生。書中千言萬語。總不外此陰陽交姤而已。然所謂陰也陽也。非特言定位之陰陽。人人可曉之陰陽。得其訣者。始可言地理。團團轉。顚顚倒。生旺衰死由此而分。丁財興敗由此而判。活潑潑地。父不輕傳子。師不輕傳弟。楊曾廖賴以來。此道久隱。至明季蔣大鴻先生得仙師無極子眞傳。始將正宗揭以示人。然口訣終秘而不宣。近出辨正疏。地理百問。天心正運。仁孝必讀等書。俱得眞傳。訪求之方能進道云爾。

論四象

一一太陽天一。二二少陰地二。一有二少陽天三。二有二太陰地四。一合四五。二合三五。天五。一得五。地六。二得五。天七。三得五。地八。四得五。天九。一四二三五。五。地十。一生一成。合天數五。地數五。成河圖數。

論八卦

子午卯酉乾坤艮巽。八方之正中。不可立向。不可收水。以陰陽兩儀分界也。若誤犯之。主傷丁破敗。

天根月窟

天根月窟。爲乾坤之橐籥。爲陰陽之樞紐。一陽初動爲地雷復卦。爲天根。一陰初生爲天風姤卦爲月窟。修煉家識此火候。已進道矣。地理家知此關竅。其殆庶幾乎。

論五行

擇地之法。先將地之周圍形勢細看。方爲土形。圓爲金形。狹長爲木形。曲折而整齊者爲水形。尖斜者爲火形。土星葬角。金星葬邊。木星葬節。水星葬於曲折處。若見火形。則不可葬。蔣大鴻先師云。平洋大忌火來臨。又云兵刑火盜瘟瘧作。其戒人也至矣。

論三元

子午卯酉。配乾坤艮巽爲天元。寅申巳亥。配乙辛丁癸爲人元。辰戌丑未。配甲庚壬丙爲地元。天元向收天元水。人元向收人元水。地元向收地元水。惟地元獨用。天人可參用此靜盤也。動盤須隨元運。挨且用六十四卦。另有天地人三元。

論風水沖射

近身收殺水。無得對照。槨中必有水。前後有殺水直沖。其棺必翻側。左右亦然。沖而短者。東沖必西側。若長而力猛者。東面沖來。必向東側上元應西面沖來。必向西側。下元應若夾殺風吹入。長而有力。卽無沖水。棺亦翻側。歷試歷驗。

論向水配合

坟前水與向合河圖生成數。主財旺。坟後水與山合河圖生成數。主丁旺。

論三元不敗

乾坤艮巽上。俱有交媾之水。最吉。爲三元不敗之大地。然必地局闊大。形勢方圓。方吉。若局小地斜者多凶。

論立穴左右

凡一地四面看徧。左邊曲折環抱。或有到頭水。穴宜近左。方可配以龍向水。總宜合及時當旺。若右邊有是。穴宜近右。所謂左有情穴宜左。右有情穴宜右。曲折環抱。卽有情也。

執笏水

向前水短而闊者。爲執笏水。主貴。狹而長者。爲衝。若倒轉爲搥胸水。主凶。當元猶可。失元則仲子遭禍。

論精神魂魄

天一生水。爲精。地二生火。爲神。天三生木。爲魂。地四生金。爲魄。天五生土。爲體。體者精神魂魄具。而後有者也。如二黑司令。必扦坤局。收八白水。爲精。二黑龍。卽爲神。七赤水。爲魂。三碧向。爲魄。所葬之穴。爲體。所乘之運。爲氣。蓋魂隨精。魄依神。體合氣。此九字乃元空之精髓也。

先後天用法

先天卦氣合河圖一六二七三八四九合也。後天卦位分洛書一六二七三八四九分也。葬後天事也。必看後天卦位分得清然後認先天卦氣合得眞此一定理也

那些子

竇照陰山只用陽水朝。陰水只用陽山照。註、常無欲以觀其妙。常有欲以觀其竅。人身有此一竅。天地亦有此一竅。地理家須識此陰陽之竅。陰山陰水。陽山陽水。處處是死的。惟有那些子是活的。些子一變。陰不是陰。陽不是陽。陰可作陽。陽可作陰。乃對待交媾生成之妙。卽所謂五行顚倒顚者也。於顚倒五行而觀其合元山水一竅。是謂合得天機些子。

平洋七忌

一忌居中立穴。平洋之氣。出於邊角。邊角處非近水卽爲溝洫低田。其地虛。虛則能受。實含生意。若居中則四面平坡。名爲死土。氣從何受。且犯中宮五黃之局。斷不可穴。一忌遠水立穴。平洋以得水爲生。失水爲死。遠水安坟。眞氣不接。卽爲死地。惟水

太大。宜遠水注光。近則穴不能受。反足致災。故大洋之旁。以藏爲貴。藏則氣聚也。一忌高築坟圍。平洋之氣。行於土皮之上。但宜築基培封。中高旁低。使四面通暢。以受陽和。若高築羅城。阻絕外氣。壅水入棺。屍必速朽。一忌河路直長處立穴。凡水曲則動而有情。直則生氣盡瀉。故必抽出枝條。凸出邊角。方爲氣注之處。直長走泄。穴之絕人。一忌順水立向。水之氣。有進有退。逆水爲進。順水爲退。是故朝來水。坐去水。爲平洋立穴之要領。或去水停蓄。見白光返照。仍作來論。以水雖去而光自留注也。一忌塡塞水道。水通則氣至。有生生不息之機。一經塡塞。則氣耗而生意絕矣。一忌近坟穿鑿。祖父坟塋。歷年久遠。俱宜聽其自然。若因子孫之時命有順逆。而於坟旁亂掘溝池。必致損傷生氣。禍不旋踵。凡此七忌。切莫犯之。

呑吐浮沉

大江大河宜緩受。穴宜點進。謂之呑。小溪小澗急相迎。穴宜點出。謂之吐。港水小而淺。金井宜淺。謂之浮。港水大而深。金井宜深。謂之沉。　地理之源本於易。因取易中之要旨。顯豁呈露者。引地學入門之徑。雖未敢言入室。已可云升堂。揣摩到時。深

造自得。庶知得所正宗云。甲午年跋

地理解醒補遺終

跋

自昔書傳黃石。奧窔靡窮。術仰赤松。流傳已久。迄今世俗營造。必延請形家爲迎祥之舉。苟非博通地理。貫澈天文者。曷克探本清源。而副其願望哉。祜忝嗜地理淺見寡聞。嘗觀青囊下經三卷。堪輿家咸奉爲鼻祖。其辭確。其義深。首言天地之理。河洛之數。繼言太極氤氳。二氣化生。仰觀俯察。陰陽五行。於此昭著矣。夫地理不出理氣巒頭。巒頭爲體。理氣爲用。體用相資。斯爲盡美。獨慨今之時師昧體用之機。或專理氣而賤巒頭。或尙形勢。而輕理氣。立說牴牾。元黃莫辨。每遇新立陰陽宅。及動作等類。一有災殃吉凶妄斷。卽鄰里偶染病端。亦唆是訟非。謬指方向之不清。妄言八線之有礙。由是藉禳解以謀食。冀壓鎭以生財。利己害人。大喪陰隲。可懲可恨。莫甚於斯。祜目睹澆風。久欲杜奸除敝。乃於庚辰歲。捧讀　若泉唐老夫子所編地理解醒一書。首闢八線之謬。發前人未發之義。使鄉愚有信無疑。爭平雀角。有功地理。豈不偉哉。其他金神紫白諸大論。義精意確。詞約旨明。凡青烏中。皆當奉爲正軌焉。　夫子大人。於壬寅年羽化後。當卽査問此書原板。已失久後。猶恐湮沒。是於丁巳夏間。

商諸同人付之排印。以垂永久。而祐自慚管見。冒昧續雕。茲因近世僞說愈多。聊補遺言。以闢無稽之談。如解酒醒而附驥尾云爾。

民國丁巳乾月　門生范承祐星齋甫拜撰於廉讓山莊

論月離于畢有陰陽水旱之別

今夏暑假前數日余在校見雨水甚多亦不以爲異及放假旋里則見本鄉低窪之地都成澤國余怪問父曰校中離吾鄉僅百餘里耳何天時之不同若是耶父曰此非天時之不同乃地勢之高下有差也汝在校僅習科學尙未知天星之奧義今夏之雨水多者乃詩所云月離于畢俾滂沱也余聞命之下回思幼年所讀之書雖恍彿記憶然其精微奧義則等於吻喻吞棗矣因還問之父父曰詩小雅漸漸之次章曰有豕白蹢烝涉波矣月離于畢俾滂沱矣蓋馬喜風犬喜雪豕喜雨夫蹢豕非白蹢而白焉言雨之久且甚也畢西方宿也離歷也謂所止之舍也畢宿好雨月歷焉則滂沱矣況月行之遲速大約十三度二十七日有奇而行一周天故月之行也每月必遍歷二十八宿若歷於畢則滂沱矣余又問父曰果如斯言則月之離畢每月必有一次歷一次俾滂沱是每月必滂沱一次歷一載而滂沱十二次矣何以古往今來大旱之歲史不絕書甚至湯有七年之旱災哉父曰是亦有故也乃向櫥中取自繪天星分等圖象一幅示余曰昴畢二宿爲天街黃道之所經昴位于畢北畢位

于南月行黃道在昴畢之間謂正道不由正道而行畢之南謂陽道行陽道則主大滂大旱不由正道而行畢之北謂陰道行陰道則主多陰多雨汝不觀玄象博義云乎孔子嘗出使子路齎雨具有頃果雨子路聞其故孔子曰詩不云乎月離于畢俾風沱矣昨莫月正離畢也他日月離于畢孔子出子路請齎雨具孔子不聽果無雨子路問其故孔子曰昔月離其陰故雨昨莫月離其陽故不雨時賢不察謂月離于畢則雨所以每多不驗也况春秋考異郵曰月失行而離于畢則雨今夏之多風多雨乃月行不由正道時在畢之南時在畢之北以致水旱不調風雨時作也蓋家嚴於推步天文學嘗拜從步緯賈老夫子潛心研究一志進行已歷二十餘年雖不能造其精微而其大略情形亦已稍窺門徑近者年逾六旬目力漸衰於觀象一道不能瞭如指掌朗若列眉然幸有二兄西淵名廉于遊庠後承父家學年當壯盛目力健全仰觀列宿俯察星圖稽考古今應證書史口講指畫朝察夕窺娓娓而言津津而聽余因補習科學不克盡心參考注意察觀爲憾事爾

民國乙卯年夏日　南洋公學專科生范祖璧益春氏述　附天象圖於後

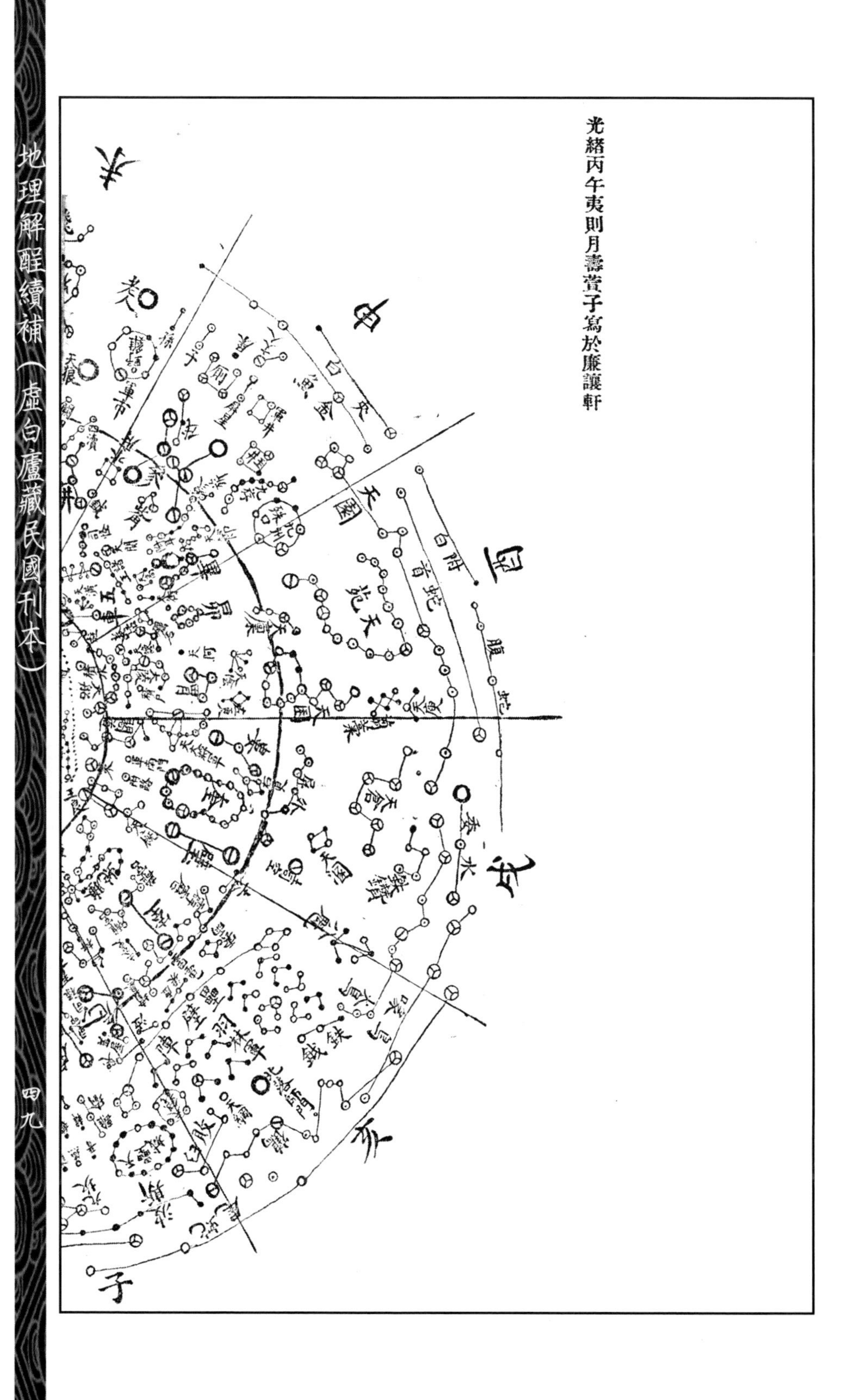
光緒丙午夷則月壽萱子寫於廉讓軒
未
申
酉
戌
亥
子

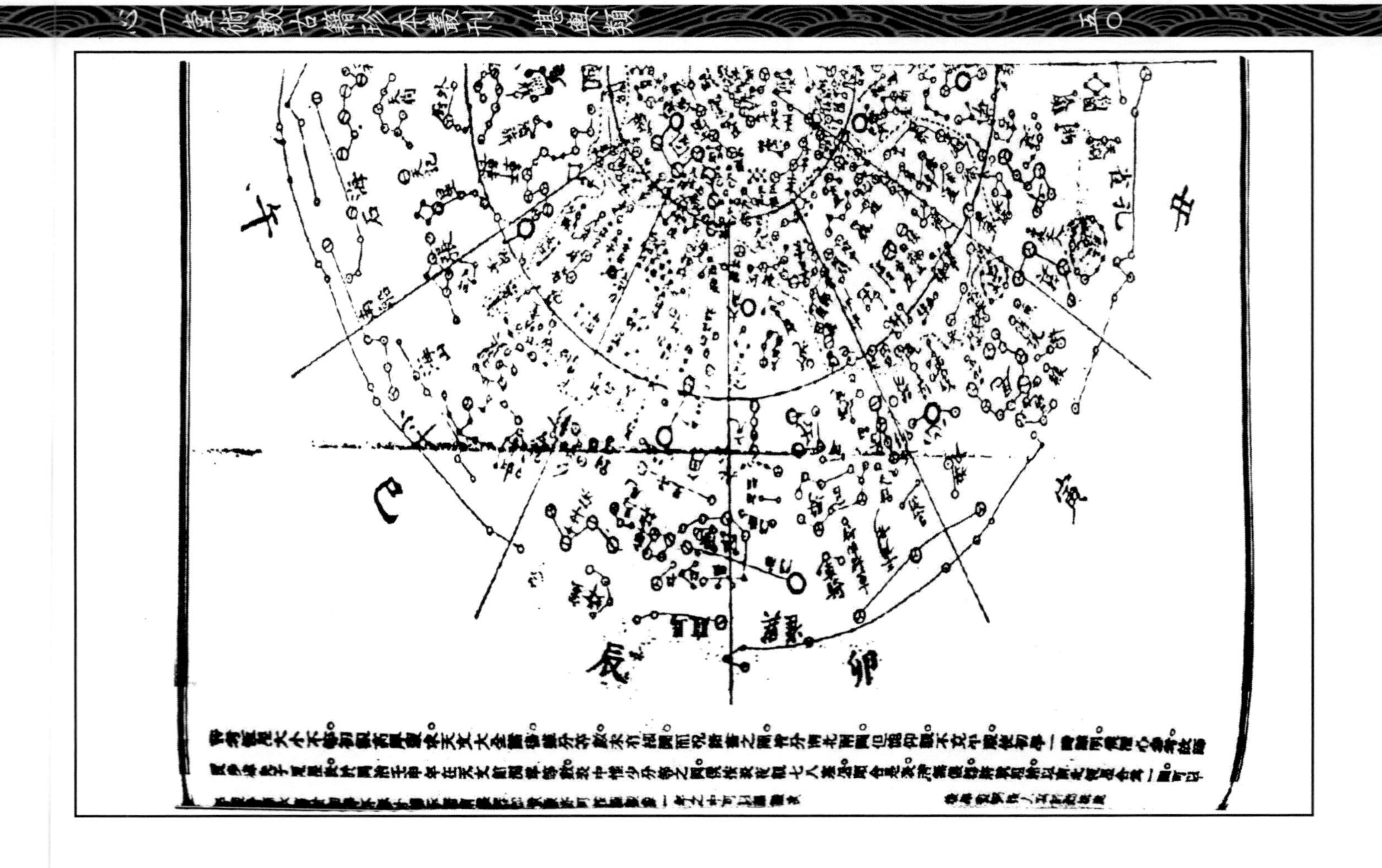

晉考[illegible]大小不等。初[illegible]。[illegible]天文大全[illegible]分[illegible]。未有[illegible]而[illegible]之[illegible]分[illegible]但[illegible]仰觀不[illegible]使初學一[illegible]心[illegible]

[illegible]在天文[illegible]中[illegible]少分[illegible]之[illegible]七八[illegible]合[illegible]一圖可以

[illegible]一[illegible]之中可以[illegible]

地理解醒續補目錄

地理解醒續補卷一

研兄唐　鎭西閱　南滙　壽萱范承祜　星齋甫　輯錄
研姪　唐修爵　志成甫　校正
男　廉　西淵氏　校字

論本原

原夫人之始生十月而形氣乃全及其終也亦十月而生氣乃盡葬者藏也藏於天地氣交之中也引陽之義也是故天子七月而葬諸侯五月大夫三月士庶踰月而葬大約不過十個月以乘生也

愚按蓋陰命死者無命無有不通之理即如咸豐孝貞顯皇后係辛卯年生至乙酉年三月初十日殂九月初十日葬若作俗論是年爲不通此僕歷驗也而況通書中並無忌陰命之說惟壽壙論建破奎罡年爲不通亦不甚驗凡選吉之法當用七政經緯按天步眞原推步天星躔度造一命盤取恩用吉星光照山向是爲正法此法非明師傳授焉得而知

父天也。母地也。誕乎母。還乎地。假地靈以攝天陽。蓋欲乘生炁之未盡。反其天而復入於枯骨也。故曰引陽之義也。照之以日月。臨之以星辰。和之以風雨。爲之聚其秀靈而通其天地。此孝之意也。

凡新葬者。雖血葬。必須十月以外得氣。有吉凶之應。若枯骨者。必須二三年後得氣。然後有吉凶之應。而況必當參觀祖坟及陽宅之衰旺。而後可定何處吉。何處凶也。今之時師。一遇新作陰陽宅。卽歸咎於新地。吹毛求疵。造言生事。由是藉壓鎭以生財。或改葬以圖名利。則必大傷陰德。決無好報。

僕雖愚閱歷多年。見過多人。惟居心正直。行道不欺人者。果有好報也。又有幾人。常存私見。遇事無好言。播弄是非。不顧天理。必見報應。毫厘不爽。何奈世人尚不醒悟。只顧眼前名利也。豈知業此道者。雖常心存正直。未免無心之過。亦不少也。于蘭林云。既得吉地。貴乘時而葬。接續生氣。返本還原之義。以人懷胎十月始成。故人之死。亦十月髓竭。死者元陽已升於天。葬得吉地。反天氣以入地中。如入爐冶。魂魄復聚。須及其骨液未絕。乃可與地脈流通。如接木者。須新剪之枝。若隔夜氣洩。豈能活耶。葬法七日最佳。七七猶可。斷不可過十月。若更遲之一年三載。雖吉壤何從接氣。必待葬下久遠。枯者漸滋。而後徐徐蔭福耳。

又云齊民一坟一宅。則無牽制。巨室坟宅不一。又當參觀。若有兩地。一衰一旺。兩相抵當。則享平福。又當審其力之大小。以决勝負。一旺不敵兩衰。則衰能為害。一衰不敵二旺。則旺能為福。嘗見今人處衰宅而發者。必有旺墓。亦有葬衰坟而發者。必有旺宅。或有遠祖坟正得氣。故新坟之禍未彰。新扦美而不發。必舊坟之凶煞難救。要之上吉。始能雪小凶。而祖禰。更切於高曾。作者求失元之天地。不如得及時之小地。人壽幾何。待其去衰入旺。身與家久同斃矣。故慕講師嘗教人開塞。以就本元之運。眞良工之苦心也。但須斟酌來情方位眞僞。而後從事。否則妄鑿池塘。傷殘發洩。非徒無益。抑且足以假禍也。

論選擇

世人尅擇。重干支。化命生辰。各操政。豈知死者已無權。反氣入地為復命。復命能司造化神。生者命從葬者定。故有仙人造命訣。不是干支平洋法。渾天寶照候天星。此是楊公親口說。不怕三煞與都天。陰府空亡俱抹煞。年尅壓命有何妨。退氣金神皆滅沒。一卷天元烏兔經。留與人間作寶筏。

此章直指選擇造命之法。而歸重於天星。可廢一切神殺拘忌之說。　擇日之法。在於善候天星。而化命不與焉。蓋人死則形消氣返。有生之理已終。而復追求其始生之年。以配四柱。忌其沖犯。避其凶殺。求其生旺。擇其祿貴。此眞不明理之言也。大凡人事。莫不因乎天而成乎地。鑿穴而深藏之。所以受地氣。度日時而後葬。所以受天氣。故古人謂之造命。造命謂何。山水龍向。本自天然。然未穴之前。猶如太虛渾漠無著。鑿而穴之。則如混沌之初開。萬象之初立。地之靈氣。有所依附。如人之初出胎。而後一切殃祥。從此時始。故謂之造命也。造命之法。以日月恩用拱夾定格。以晝夜陰陽之分宮定局。以格局定日。以日之躔度定時。以時定命。以命定恩。以二至二分之時令定用。審山向之正偏。論八宮之深淺。推卦氣之衰旺。觀穴形之强弱。日煖風和。月明星朗。雲霧不生。山川明媚。則天精地華。合爲一氣。而毓秀無疑矣。至於應驗之期。總以三合弔沖塡實之年月斷之。若夫諸家神殺在所不拘。神煞雖多。不能出於五行之外。五行有日月星辰以爲之主。而五星又生日月之兩儀。天地雖廣。經之以度。但得日月五星到度。又何神煞之有。　見雲間蔣大鴻先生著。郭氏元經云。爻位之方。遠則强。近時或犯兩三方。但就一辰爲吉處。吉凶可否。自家詳。鄰家造作。須稍近。異姓非宗。亦不妨。若近人家造作。不同姓。不妨。雖同姓。出服。亦不妨也。

事類總集

協紀云。凡修造用家主名姓。昭告。若家主行年不利。即以子弟行年得利者作修造之主。昭告神祇。俟修造完備入宅。然後安謝。　上論建造年命取天星相主爲最吉。古人皆論生年得吉星或祿馬貴人到山到向。尤喜太陽太陰三奇諸德蓋照爲上吉。間有俗論以象吉中十八局通天竅及金樓運等論吉凶。此無理可取。故協紀不載。僕閱歷三十餘年。並無應驗。此皆不辨意義。拘執其說。而以訛傳訛也。通天竅者。協紀上所論三合前後吉方。並非論年命也。

論造葬

夫造葬二者乃選擇大端不可不愼愼之如何曰合造命之體用而已然豎造與葬地略有不同葬以補龍爲主而山向亡命次之造以山向主命爲重而補龍次之蓋葬乘生氣生氣旺而體自煖雖山向與亡命不甚全利亦無妨也若修造則斧斤震動且曠日持久倘山向不空主命受尅不敢妄議興舉況八宅禍福皆論坐山乎又云修造以宅長一人之命爲主葬以祭主一人之命止忌沖壓生肖餘可勿拘凡亡命只忌尅沖不論建破奎罡年

作生坆合壽木

宜生命六甲旬空月日忌生命建破魁罡年又宜本命納音生旺有氣日忌入墓日安壽木宜天德月德月空方忌三煞方　水土命宜申酉亥子戌月日忌辰月日金命宜巳午未申酉月日忌丑月日木命宜亥子丑寅卯月日忌未月日火命宜寅卯辰巳午月日忌戌月日凡造葬先看山家墓運要年月諸凶煞不至山向爲吉取三奇紫白祿馬貴人蓋照山向以佐其吉修造則擇豎造吉日安葬則擇破土吉日爲最吉

論坐煞

按選擇宗鏡曰。太歲可坐不可向。三煞可向不可坐。又曰三煞最凶。伏兵大禍次之。然則坐煞向煞特統同之論。細分之。則坐與向當有輕重之不同也。申子辰年坐丙丁爲坐煞向壬癸爲向殺。寅午戌年坐壬癸爲坐殺。向丙丁爲向殺。巳酉丑年坐甲乙爲坐殺向庚辛爲向殺。亥卯未年坐庚辛爲坐殺。向甲乙爲向殺。此坐煞向煞者。宜避之則吉。今世間不避者甚多。只論俗忌之八線。若云八線。則畏如蛇蝎。此附會者說。實無應驗。惟有神殺之線。宜避之爲妙。玫八線者天文家推步之算法也。是正弦線。餘弦線。正切線。餘切線。正矢線。餘矢線。正割線。餘割線。共八線。此算學中用之。並無吉凶也。查九數通攷天步眞原等書自明。

論地支水　若得運則吉

蔣公曰。子午卯酉天元存源流悠遠格爲眞。公侯將相本無種。小鳥逢之變大鵰。此節言四正之支主得時則尊貴失時則貧賤也。若源遠流長自然卿相可得。如小鳥忽變大鵰也。俗以地支水爲不取。豈知發龍多向支辰取。此乃無學之人。不看辨正。不知元法。不辨意義。所看之書。不元不合。不明解釋。一生惟用僞法。或有意詆毀同道者。吹毛求疵。實爲小人之心。決無好報。又曰寅申巳亥人元來。螽斯衍慶有兒嬰。辰戌丑未地元。觀雖然極狹。亦能寬。銀錢得用如泉湧。福祚宮同如口含。此四庫之水。遇得運時。必有財源積蓄。洵不誣也。余歷驗不少。殊非家運不足。作事不正。不能挽救也。又曰流通四庫。婦女撐家。若堂外蓄聚。必婦女起家也。如遇到頭之水。家多殷富耳。

夫地理之學。大有深淺。深則可以貫澈陰陽之理。能識天星之行度。淺則不過指鹿爲馬。不知天地爲何物。雖識羅盤上幾字。難分陰陽之理。猶如童子讀四書五經。成則中魁元。作卿相。經邦論道。燮理調和。精微奧妙。何所不通。可以爲聖爲賢。若不成不過書記識字而已。

論地理書

地理有至當不易之理。即有至當不易之書。古昔仙師。垂裕後世。各著至當之書。習斯術者。當日夜博學之。慎思之。庶可濟世。若一涉好奇。一慕時尚。則入於欺罔。而非至當。又何所謂秘本乎。此猶如攻舉子業者。欲由秀士以登科甲。舍經書而不讀。而以鼓兒詞唱山歌欲博取功名有是理乎近時只讀合法書全無河洛之理不明巒頭不識理氣自以爲是所看之書又未能發其是處毫無實際卽所繪舊坟圖記亦核對舛謬不過存心嫉妒同道見好說好而已前人目講師原有葬取坐空朝滿然要皆扞用得法亦未必地地皆坐空塊塊皆穿鑿也學者辨之

論宮位分房

宮位之說地理中固有之事然或以龍虎分宮位或以明堂分公位其說紛紛不一不知以房分而論各有分枝以祖宗之遺蔭而論則皆吾子孫得氣則皆發不得氣則皆敗卽支派偏枯亦地局使然在祖宗自有興旺之子孫也此時師藉以誑人弟兄叔姪耳倘地果有不均卽楊曾廖賴亦不能爲之勻也　惟在子孫中能積德造福有生肖適符者享之　又條註云分公位若何曰左砂屬長右砂屬幼中堂屬仲堂內水直流主離鄉左右各以位斷若外砂圍繞水口峯高反主大發他鄉然總以龍眞穴的爲主理須活看地眞則各房俱發地凶則各房俱敗砂水亦不靈也又或世家巨族名扞非一或陽宅當元亦難以公位拘也　俗以三合法卽乾坤艮巽長

房興。寅申巳亥長伶仃。甲庚壬丙中男發。子午卯酉中男殺。乙辛丁癸小房強。辰戌丑未小房殃。此說偶然應之。不足爲憑。若以八卦論則近理矣。

隨機取水

一水特朝。低則撲面。高則難收。大而直長者遠收。化短而氣和。近則嫌沖。小而短闊者近收。光接而氣住。遠則氣脫。旺水之直沖橫沖泄多補少。猶君子之怒。吾福蔭難期。煞水之彎環屈曲補多泄少。猶小人之好。吾凶星自化。水之破、穿、割、射、沖象之至凶者也。不妨轉凶爲吉者。如條註云。穴高不論射。水闊不爲箭。脈大不嫌割。戶緊任斜牽。回曲無穿。意仰蕩穴登天。砂隔非爲破。水衆亦無嫌。眞龍相住處。反吉任君扦。訣曰水龍相聚任君扦。仰蕩登天法不愆。回曲無穿終獲吉。水多砂隔並無嫌。　水形之凶。可變吉乎。曰三陽之地。穴結水邊無餘氣。前有大河不納。補以人工。亦同天造。又云。破是衆水破羅城。斜是斜水穿堂過。割是穴前叩脚流。箭是狹長來照穴。射是一尖向穴中沖。是洋潮勢太雄。而亦有反凶爲吉。　天元歌云。　從來水路後天成。不同山骨先天生。山骨補培終不應。水脈流濬引眞情。當年無著修龍法。修著之時日夕靈。莫道人工遜天巧。江淮河漢禹功成。　此章言水龍修補之法。以上論水龍巒頭體格。以下論水龍理氣作法。　山龍本無培補之法。今人動云接龍。甚屬不經。水有疏鑿之理。古人設法挑修。往往取驗。然必須去來得失。細心看準。當開則開。當塡則塡。自能取效於旦夕間也。倘不明元空之得失。水情之來去。胡開亂鑿。徒取目前之適觀者。是爲瞎修。非但不能求福。必見災禍於目前也。

論藏風得水　錄形氣元珠

風水者。誠言風與水也。藏風卽所以得水。得水卽所以藏風。平洋不怕八風吹者。蓋有水神環遶也。而風吹水刼。壽丁長者。亦乘風取水之意。卽以水界煞風。主丁壽俱全。凡人家葬親。難得十全之地。又兼煞風煞水。無可修改。或遇無力之家。幷三四代未葬者。主人只求入土爲是。故地師不得已遷就而作。並非有意誤人。或修理而作。豈知事後因循。不加修理。直至有過而想補救。遲矣晚矣。此咎歸誰人耳。

論遲速

世人不知修德。一塋葬後。便思邀福。俗語所謂寅葬卯發者。不過言其發之疾也。雖天機會元中有速達穴數局然未有初葬卽發之理蓋枯骨入塜猶如女子懷胎必至滿十月方可生育故地有一紀內發者有一紀外發者有至數十年三四代發者或先凶後吉者或先貧後富者此皆龍身之節脈爲之卽或踏著財頭發速或坎離龍局發速且彙集祖墳衆地之吉亦發速若祖坟不吉而新坟初吉必俟祖坟之凶運退而交新墳之吉運者方能發福　地理辨正云先看金龍動不動次察血認來龍　註金龍者氣之無形者也龍本非金而云金龍者乃乾陽金氣之所生故曰金龍動則屬陽靜則屬陰氣以動爲生以靜爲死生者可用死者不可用也又云龍分兩片陰陽取水對三叉細認蹤江南龍來江北望江西龍去望江東　註此所謂兩片也金龍本在江南而所望之氣脈反在江北金龍本在江西而所望之氣脈反在江東蓋以有形之陰質求無形之陽氣也楊公看雌雄之法皆從空處爲眞龍故立其名曰大玄空雖云兩片實一片也　陰陽二字看零正坐向須知病若遇正神正位裝發水入零堂零堂正向須知好認取來山腦水上排龍點位裝積粟萬餘倉　註凡陰陽交媾全在零正二字零正不明生旺必有病矣若水遇正神雖一節二節其殺

立應。其零神之長短。又與正神有異。使零神而在水。雖短亦吉。又云明得零神與正神。指日入青雲。不識零神與正神。代代絕除根　又古鏡云。旺方昌拜從高下。若遇零神又要低。正神高厚氣乃到。零如不洩煞乃齊。　註　如上元西爲煞方。東爲生氣。西方微低。煞氣不能來。東方微高。昌拜生氣。乃能聚也。凡業斯道者。不明零正二神。焉能識元空大卦之眞法也。

雙山雙向水零神。富貴永無貧　周梅梁云、若雙山雙向遇假夫婦者。其山向之卦氣俱錯雜矣。必須得水之卦氣。悉屬零神尅入相助。則雙山雙向之錯雜、爲水神所制伏。而富貴亦可期矣。

若遇正神須敗絕。五行當分別。　若水路又遇正神。則生出尅出。零正兩路皆空。而敗絕不能免矣。故五行之生死。不當分別乎。

太極篇云。上貫乎天。下貫泉。泉當盡處。天心復。土實不靈。氣不融。土空則動。氣乃通。通行之水如走馬。若不止蓄。氣仍空。水到窮時。太極明。太極起處。五行根。一卦三山顚倒輪。立穴先須觀太極。在何方位。須詳識。陰陽細辨莫糊塗。五行方可論生尅。若貪堂局不知龍單顧巒頭失正中合盡諸書多吉利其如淩替日貧窮　辨正疏云左浜到觀豫卦龍神即東來壬水止西邊亥氣進此水盡處即太極起處所謂水到窮時太極明也加以方位當令得運亦即所謂一六共宗之義也再能得巽水遠照則離氣益眞又即所謂先天對待之體四九爲友之義也其爲大地無疑矣舉一卦而八卦類推于蘭林氏

論地風

形氣元珠云穴有地風即翻棺倒槨非風不能吹動棺在穴中爲土隨煞氣而棺木隨轉耳此煞氣所致經曰氣乘風則散界水則止故催官經曰四金對射風入局翻棺覆槨災非輕四金者原四面之煞炁也　辨正疏云俗註以辰戌丑未爲四金非也吾師歷驗不少嘗云四金即煞方如有煞風入局必有翻棺之驗必須開鑿池河隔斷煞氣方妙

又論轉尸

地風之病其禍有轉尸之患或因葬於高山凹風吹入則轉尸葬於平洋煞水逼近

穴塲或煞氣無遮蔽無界水截止亦能轉尸也又云脈眞氣假鬼不安棺中有水壙中乾時師到此休輕斷年代須從骨節看

論蟻穴

葬書曰凡地脫氣則白蟻生又曰地有白蟻爲偏陽之氣有黑蟻爲偏陰之氣凡扦穴見此二蟲蟻房皆不宜用也

論改葬

宅鏡云凡人家新作陰陽宅另請一地師必有一番議論故無學之人不可延請恐壞事也作後偶有災晦不必多疑俗例作陰陽宅後三年內必要農田倍收經商獲利方信稍有不安卽請地師覆看師萌利心勸主人移向或擇地另選卒致遷改頓壞何歟人家衰運之時葬一新塋而思斡旋造化原是甚難此坟未作休咎未必無也宜靜以守之如風水無大凶惡日後漸興否則遷坟似樹木移種之時恐傷枝葉悔之無及唐楊救貧云改葬不可輕易其地有風水蟻三害相侵則遷改之然可修則修之爲吉蓋未受彼地之氣先洩此地之氣如冬天臥於温被中易床而臥也故

家道平康者。不可遷。一見龜蛇生氣之物者。不可遷。一見壙中溫和。有水珠泡等。或乾燥者。得此三祥瑞。則決不可遷。有三不祥者。則遷改之。或可修改者。修之爲妥。一塚無故自陷。草木枯死。二男女顚狂。刑傷瘟火惡死。三官訟不息。人丁不安。各房將絕者。此卽三不祥也。

宅鏡又云。明師亦有錯葬。如賴布衣葬黃蛇聽蛤穴。三次纔得耳穴。今人一看便自信無差。其然耶。否耶。歸厚錄云。大德受大地。小德受小地。無德受凶地。天有一定之理。蓋陰陽五行。一太極也。苟能修德。自得吉壤也。以平洋之地。得水爲先。水則動而不靜。流而不息。原無定質。可變吉爲凶。亦可變凶爲吉。大局既定。不妨小小改作。以就內局所宜。當塡則塡。當濬則濬。所謂裁成輔相。奪神功。改天命之妙用也。

洪潮和論周堂

周者。周徧也。堂者。祖先香火也。謂周集親眷。在於堂中行禮。故名之。然周堂諸局。惟嫁娶納壻二局最重。嫁娶值翁。必堂上行禮方忌之。若值姑。從俗出外暫避之候。新人入房坐床後。回家則吉。若值第。乃公侯也。士庶人無第。不必忌也。如納壻周堂。惟忌人贅耳。如行嫁白虎周堂值路門堂日。宜書麒麟符禳化。如值床。是臥其皮。值灶是食其肉。不禳何害。然今人細心。亦用麟符貼之則吉。　又論嫁娶年忌之說。此俗說不通例也。豈知男命遇二德三奇。女命取貴人解之則吉。

協紀論男女合婚大利月

夫陰陽家言多病迂泥。術士揑造。益屬荒唐。而惑世誣民。則未有如合婚大利月之尤甚者。夫婦之道。人倫之始。書載釐降。詩詠關雎。未嘗有合婚之說也。禮曰仲春之月令民會男女。未嘗有大利月之說也。卽祿命之法。以人生年月日時。去留舒配。推人壽夭窮通。亦未嘗有以男女年月。定妨夫妨妻之說者也。爲是說者。不知其所自起。而皆托於呂才。觀唐書呂才傳。其於陰陽術數。辨駁甚詳。則其爲術士之僞託無疑矣。世人不察其所以然之故。惟聽術士之說。一一求其悉合。多至逾時不得婚姻。噫。俗術之害人何至此極耶。然合婚之說。北方世俗用之。士大夫及南方皆不深信。而嫁娶大利月。則舉世用之而不辨。而不知其所謂大利者。固術士之揑造而無理之甚者也。　大凡擇大喜吉日。只論翁姑夫婦之生肖。忌比沖尅沖等日。大概如是。

今世俗竟有以翁姑夫婦之四柱論尅沖。無理之尤甚也。不知出於何書。若有翁姑夫婦四柱。遇十二地支全者。請問一年之內。何日可擇。以此而論。卽千萬年不能查矣。蓋四人之四柱。共十六柱。若每柱論沖忌。卽神仙亦難查矣。　又世俗所論轎前煞。轎後煞。不知出於何書。僕閱歷三十餘年。無從查攷。而況並無應驗。然術士多無學之輩。往往造作無稽之談。煽惑鄉愚。藉以禳解。拐騙錢財。自喪陰德。

論男女合婚說

呂才作合婚書。豈有是理者。蓋人之婚姻。由於月老檢書。赤繩繫足。今之擇婚擇命。不過盡父母愛子之心耳。男之擇女也。八字貴看夫子二星。女之擇男也。八字貴得中和之道。夫何以下文男女所帶諸般爲忌。其理甚謬。如俗諺云。此是滅蠻經。蓋滅退蠻人羞與中國爲婚。當唐王命一行禪師造此骨髓破等。以哄蠻子。故謂滅蠻經也。　今之合婚。皆以男女生肖。渾立數目。配合相成。名曰合婚。妄立天醫福德爲上婚。游魂歸魂爲中婚。五鬼絕命爲下婚。其謬甚矣。安可只以男女二年命舍去月日時。而能論人婚配者乎。若是有理。則天下之議婚者。俱擇上中二婚而配之。擇下婚者舍之。其書甚易而不難。宜乎天下無爲寡之婦。喪偶之男矣。夫何後世。又有孤孀之患者。分雖出於宿世之所定。而亦咎於議婚者之不明也。然議婚之禮。人道之端。不可不慎也。其禮當何如耶。但當看男命有比肩刧財重者。必擇女命傷官食神重者配之。若女命有傷官食神重者。必擇男命比肩刧財重者配之。此係合婚之正禮也。豈可以上中下三婚無根之說。無據之理。而議人之婚配也耶。

附餐霞道人看地五戒

一戒自滿欺人　地理之道。變化莫測。倘遇奇龍怪穴。一時認未的確。姑且置之。不可自作聰明。指鹿爲馬。或遇並無龍穴之地。不可花言巧語。造作一番無從對證之說。欺誑庸愚。謬稱富貴吉壤。又不可窺探主人屬意之地。本非佳穴。附會迎合。極力贊成。誤人大事。自喪陰德。

一戒貪婪聽囑　世俗一見人家延師擇地。即隱託地師。許以重酬。將地告買。或浼情而囑託。將地求售。膺斯任者。不可貪其重貲。聽人情面。本非吉壤。極口贊揚。致人葬罹凶禍。我亦自喪陰德。

一戒顚倒是非　人家已經擇定之地。延我覆看。我當就是地之吉凶而直言。不可先存私見於胸。有意詆毁他人。地本甚佳。反稱不善。致人失一吉壤。亦不可恐結怨於前看之友。地本不美。而通融其說。扶同謬贊。令人葬凶。自喪陰德。

一戒利此損彼　凡爲親友擇地。或已得一吉地。而有礙於別家墳宅。卽宜置之。另看他處。不可草率圖成。妨礙別家。自喪陰德。

一戒妄施鎭壓　人家不能有福無禍。一遇疾病死亡。官非口舌。時術好爲附會。卽擘指爲某家新作墓宅有礙。貪酬鎭壓。害人不淺。自喪陰德。

以上各條。俱係大喪陰德之事。術家易犯。苟或蹈之。一時卽未識破。但陰德已虧。天理斷不能容。此等財物。必不能享。故每見挾術欺人者。瞞心昧己。誆騙愚夫。或共稱爲神異。未幾逐漸應驗。聲名大壞。潦倒不堪。子孫凌替。害人實以自害。可不戒哉。故特標出。願同志者共銘心焉。

論禁火葬

大江以南。凡農人貧士。父母死後。大半火葬居多。此事本干例禁。而亦累經先賢再三勸。諭何如習俗爲之。不知痛悔。且羣以爲便而行之。不知生死一理。豈有父母死後。骨殖而忍投畀炎火乎。夫水火同患。試思嫂溺。尙應援之以手。父母在水中而不奔救之耶。況烈火焚燬。其慘更酷。爲人子者何忍心至此。卽無力營葬。亦何難掘土深埋。余勸人無爲火葬。又勸人共勸。其德不小。

論地學之難易

夫地理一道。係極難之學。乃竟有視如極易者。如今之地師。比比然也。蓋今之時師。往往胸無點墨。見書本而茫無頭緒。志在謀利。習皮毛而不究精微。略識羅經上數字。便詡詡自矜。以爲道在是矣。能操造化之柄矣。吁此眞所謂辰時學法。巳時通。自滿自足。視如極易而誤人不淺者也。豈知地而曰理。本理學也。故羅經理氣。年月選擇。皆通於天文。其道費而隱。雖童年習之。皓首難得其全。況日月至焉者乎。夫以至大至重至難之學。而淡焉視之。皓焉忽之。則安能明其奧旨。得其精微。而得地學之全乎。惜乎今之業斯道者。不講巒頭。不明理氣。所論元運。不知生旺死煞。乎困六氣之吉凶。及零正催照。四神之衰旺。但就事論事。見水收水。龍脈之衰旺。不知局度之是非不識。假如逢一堰基在父母爻上。是陰是陽。當作何論。亦茫然不知。元空大卦云。若知陰陽。則明元空大卦。獨惜今之時師。不重龍氣。只論水源。卽收水立向。亦不合三元。不明衰旺。草率成事。惟知見吉說吉。見凶說凶。如諺所云。見花藍話花藍者。此皆因不得眞傳。不明衰旺。不求精微奧旨。僅習粗淺皮毛。以致視如極易也。嗟嗟以至大至重至難之學。而不能日事咀求。時加考察。反視如極微極細極易之學。宜乎自誤誤人。遺禍於天下後世也。豈知欲習地理之學。而不知其至大至重至難之處。則不可也。何則。蓋欲習地學。必當先看地書。欲看地書。先從明師講解。必當深明書中意義。若不看書籍。不明意義。僅以謀利爲急務。不知書籍爲可貴。勢必開卷茫然。不知是書之是元是合。是假是眞。夫習斯業而不知書卷中之意義。不明元運中之衰旺。此其所以理不明。而法不清。終身習之至老。誤之小則自誤其身。如處黑暗時代。開朗無期。大則幷誤乎人。如問道於盲。光明難覩。豈非難之至乎。僕初學時。亦不明此理。不悉其法。後得

若泉唐老夫子指點迷途。稍知理法。幷習奇遁天星易卦文課六壬諸法。更得與古

華周淸漣同邑顧蓮府諸前哲互相研究參攷博稽旋又從周浦步緯賈老夫子學習天文推步觀象七政劃度躔離交食諸學奈因精神不及僅得稍窺門徑未能入於室也況地學之書汗牛充棟僕雖不能博覽羣書深明奧旨而略觀數十種總不外巒頭理氣元空大卦之法然尤當明其理知其法而後可若不明其理不知其法則雖存割股難免過岀無心何也蓋自唐以來僞書日出元合混淆卜地者惟知邀福爲師者僅知謀利即有一二賢者心存考博然無明師傳授亦終不能明其是非辨其眞僞深悉巒頭理氣之微元空大卦之奧也而或者謂今之業斯道者能讀蔣氏之書自可深悉其微深明其奧而不知蔣氏之書意義精微文辭深奧引而不發似露實藏即前賢所已經註解者亦一書數解莫衷一是豈僅僅熟讀胸中即可斷爲有驗無誤乎況僕閱歷多年考之先進證之古墓地學一道總宜以元空大卦爲方針元運衰旺爲目的卦爻輔之選擇佐之或可稍有應驗不致貽害於人否則未有不自害害人者也致若僞書數百種而有時亦有應驗者此皆江河術士謀生之鎖鑰或已知其富而指某水之當富已見其貴而斷某山之應貴現衰象之家必不

喻其興旺。有必至之禍。不肯斷其平安。藉憶度以生財。恃計謀以求食。多言必中。會逢其適。非眞能明其理。知其法。獨得地學正宗。而超羣出類也。大抵造化大權。本非淺學者所可窺弄。而高科巍甲。又豈薄德者所可强求。欲得福地。必須正人君子。案之心地德澤氣運。三者而盡合。而後可得吉地。不然人家造葬。未有不思得吉地。而爲師者亦必槪許以大富大貴。及旣造旣葬。而富貴悠久。福澤孔長。向所謂吉地者。何以寂寂無聞。萬中鮮一哉。然原其所以。無非因求地者非正人君子。相地者無實學名師。以致要其歸宿。難免如遼東白豕。妄加美名。終不能如實事求是者之有驗無誤也。總之藝術一道。無論醫卜星相。非得眞師指授。盡屬隨波逐流。人云亦云而已。誰能有妙解眞銓。深明書中意義。深悉地學精微。獨得其全。而不致自誤誤人哉。吁。由此論之。地學一道。豈非元之又元。難之又難者乎。

光緒戊申年肇秋月　後學范承祐星齋甫命　男廉西淵氏述於德馨草堂

地理解醒續補目錄卷二

地理解醒續補卷二

南邑馬晉卿編輯
世兄范惺齋參訂
鮑松畬
門人嚴振聲同校
范上達

初學入門訣

論八卦體用五行

一白坎卦當令。（卽壬子癸）屬水。爲中男。在人身中屬耳腎。
二黑坤卦乘權。（卽未坤申）屬土。爲老母。在人身中屬脾腹。
三碧震卦當運。（卽甲卯乙）屬木。爲長男。在人身中屬肝足。
四綠巽卦主權。（卽辰巽巳）屬木。爲長女。在人身中屬肝腹。
六白乾卦當運。（卽戌乾亥）屬金。爲老父。在人身中屬頭肺。
七赤兌卦乘權。（卽庚酉辛）屬金。爲少女。在人身中屬口肺。
八白艮卦當令。（卽丑艮寅）屬土。爲少男。在人身中屬手脾。

九紫離卦當運（卽丙午丁）屬火爲中女在人身中屬心火

以上人身中所屬倘遇失元煞水煞氣或水口流破或橫冲直撞或反跳斜飛俱謂之煞卽應在何房男女身上之病凶不可言若遇得元旺水旺氣亦應在何房男女身上吉莫大焉

論三元起運法○上中下三元每元六十年週而復始

上元首運（同治三年甲子至癸酉年 同治十三年甲戌至癸未）此二十年一白當令二黑三碧爲輔龍均取實地龍脈對宮（卽九紫八白七赤）取水

上元中運（光緒十年甲申至癸巳 光緒廿年甲午至癸卯）此二十年二黑當令一白三碧爲輔龍均取實地氣脈對宮（卽八白九紫七赤）取水

上元末運（光緒三十年甲辰至癸丑 民國三年甲寅至癸亥）此二十年三碧當運一白二黑爲輔龍均收實地龍脈對宮（卽七赤九紫八白）收水

中元首運（民國十三年甲子至癸酉 民國廿三年甲戌至癸未）此二十年四綠當令一白二黑三碧爲輔龍，宜收實地龍脈對宮（卽六白七赤八白九紫）收水中元五運。(民國三十三年甲申至癸巳 民國四十三年甲午至癸卯)此二十年五黃當令。宜收乾坤艮巽四水。或收辰戌丑未四水爲四墓齊開大富大貴。

中元末運。(民國五十三年甲辰至癸丑 民國六十三年甲寅至癸亥)此二十年六白當令。七赤八白九紫爲輔龍。均取實地氣脈對宮(即四綠三碧二黑一白)取水。

下元首運。(甲子至癸酉 甲戌至癸未)此二十年七赤當令。八白九紫爲輔龍。均取實地龍脈。對宮(即三碧二黑一白)取水。

下元中運。(甲申至癸巳 甲午至癸卯)此二十年八白當令。七赤九紫爲輔龍。均收實地行龍。對宮(即二黑三碧一白)收水。

下元末運。(甲辰至癸丑 甲寅至癸亥)此二十年九紫當令。八白七赤爲輔龍。均取實地龍脈。對宮(即一白二黑三碧)取水。

論九宮元運

上元一白運。壬子癸地氣當令。對宮丙午丁爲正吉水。謂之生龍。(即顚倒顚也)戌乾亥水爲催運。謂之旺龍。(即一六共宗之義宜收在外局也)壬子癸水爲正煞謂之死龍。（大忌三叉水口）辰巽巳水爲催煞。上元大忌庚酉辛丑艮寅水。謂之平龍。均屬吉利。坤震兩宮之水。謂之困龍。宜遠而避之。若遇三叉。凶禍立見。

上元二黑運。未坤申當令。遇有實地行龍。更得對宮丑艮寅水。謂之雌雄交媾。大發丁財。七赤（卽庚酉辛）水爲照神。取二七同道之義。（上元傍西水立坟宜收辛上三叉口轉南至庚水到頭謂之收山出煞東有旱龍謂陰陽對待大吉）離方丙午丁水。（卽上元統令之水也至中元四綠運中倘還重用蓋得河圖四九爲友之義也在二黑運中倘得水自東南來至丁而止可收盡坤氣出盡離煞丁財大旺或水自西南來至丙而止亦是收山出煞大吉）北方壬子癸水。東方甲卯乙水。皆謂之煞水。（大忌三叉）西北戌乾亥水。仍宜收在外局。不宜近身。東南辰巽巳水。當遠避之。

上元三碧運。甲卯乙當令。宜收實地龍。大忌三叉水。西方庚酉辛爲正吉水。（或北來至庚而止或南來至辛而止俱謂收山出煞）東北丑艮寅水。仍爲吉水。蓋取三八爲朋之義。（倘得艮上轉角至寅而止卽是收山出煞之妙義也）南方丙午丁。仍是吉水。西北戌乾亥。仍宜收在外局。壬子癸未坤申辰巽巳水。均宜避之。

中元四綠運。辰巽巳當令。取其實地。不取水口。宜收對宮戌乾亥水爲生龍。大旺丁財。其餘離艮兌三宮旺水。亦均收入爲妙。坎坤震三宮俱是煞水。均宜避之。

中元五黃運二十年。前十年寄巽。取乾水爲旺。屬上元。後十年寄乾。取巽水爲旺。屬下元。此五黃二十年。其中分上下元。故名爲三元。實則止上下兩元耳。總之上元四吉水。卽離艮兌乾四凶水。卽坎巽坤震。下元反是。

中元六白運。戌乾亥當令。宜收實地。對宮(辰巽巳)收水。謂之陽陰對待。丁旺財與。北方一白水。(或由東而西至壬上到頭得收山出煞之妙更取一六共宗之義)收入大吉。其餘龍水。宜隨機應變。因將入下元。與上元有相反之故也。

下元前廿年。七赤庚酉辛當令。中廿年。八白丑艮寅當旺。末廿年。九紫丙午丁當權。以震坤坎三宮爲旺水。取水不取地氣。兌艮離三卦爲煞水。取地氣不取水。又巽水亦是下元之水。(從震宮發脈轉南至巽上轉西至巳上而止則離氣清矣取四九爲友之義卽收山出煞之妙)總之當令者宜收無形之氣。(取實地不取水口)當令之對宮宜收其水。取雌雄交媾之妙。得陰陽配合之理。所謂識得陰陽顚倒顚。便是大羅仙。卽此義也。下元作法。事事與上元相反。細玩之方有心得。

論秘旨大元空口訣

上元甲子坎山眞。要配午水一卦純。丙丁二水分左右。長中次房一同興。
上元甲申氣在坤。艮水收來一卦清。丑寅二水分左右。諸房骨肉一同興。
上元甲辰震氣臨。酉水交來一卦清。庚辛水分左右二。全家可保一同興。
中元甲子巽山臨。乾水收來一卦清。戌亥二水分左右。二十年中福祿增。
中元甲申五黃運。辰戌丑未四層門。此是三元不敗局。一水不到即非眞。
最怕子午卯酉臨。五黃大忌此水星。八宮尚有吉凶水。好向羅經仔細尋。
中元甲辰乾氣旺。巽水相朝格局眞。辰巳二水分左右。富貴雙全無比倫。
下元甲子兌氣清。卯水行來一卦眞。甲乙二水分左右。大旺丁財二十年。
下元甲申艮山運。坤水收來局面清。未申二水左右抱。長中三房一例興。
下元甲辰離氣臨。坎水收來局面清。壬癸二水分左右。大旺丁財二十春。

論水與水對照法

南方有形之水。得北方實地行龍。即雌雄交媾。陰陽對待之妙義。眞地理家上乘作用矣然而不獨此也蓋水與水亦有對照之法如蔣公云坎離之水二龍交立宅中間門第高輪轉三元無替謝兒孫世世產英豪蓋坎離力量最長所以攸久兌震次之乾巽又次之艮坤力量最薄一無餘氣不如別卦之久遠矣又有四水對照如蔣公云乾巽艮坤會四龍居中作宅是仙宮不分元運時時發子姓綿綿奕世宗其餘四水對照可以類推要知水與水對皆先時補救之道也輪轉三元丁財不替水與氣對當時直達之機也得元者旺失元者敗又如上元首運收近身午水遠照子水首運得午水近照而發丁財至下元有子水遠照而丁財不替可保平安矣餘可類推

看雌雄法

天玉云關天關地定雌雄富貴此中逢翻天倒地對不同秘密在元空此二句言收對宮之水也

上元一白運壬子癸爲雄丙午丁爲雌二黑運未坤申爲雄丑艮寅爲雌三碧運甲卯乙爲雄庚酉辛爲雌

中元四綠運、辰巽巳爲雄。戌乾亥爲雌。五黃運、中五爲雄。乾巽爲雌。六白運、戌乾亥爲雄辰巽巳爲雌。

下元七赤運、庚酉辛爲雄。甲卯乙爲雌。八白運、丑艮寅爲雄。未坤申爲雌。九紫運、丙午丁爲雄。壬子癸爲雌。

當令者爲雄。雄者取收實地龍氣也。辨無形之氣者卽此也。對宮之失令者爲雌。雌者宜收水。有水方得對宮之旺氣。能蔽衰宮之煞氣。故龍水對待謂之雌雄交媾。又謂之陰陽配合。定然丁旺財興。　水管財祿龍管丁。向若合元無禍侵。又云有龍無水。財不丰。有水無龍。丁自空。若還龍旺水亦旺。可卜丁財俱到宮。可知不成配合者。則孤陰不生。獨陽不長。禍患百端。由此來矣。　地理千言萬語。不過陰陽對待。雌雄交媾而已。蔣公所謂一言立曉者。此也。凡看地先看龍。（平洋以實地爲龍）　無龍審局。至橋梁路堰。空間出入之地。俱作龍論。得龍然後看水口點穴塲爲是。然龍之說。猶不止此。天玉云。江南龍來江北望。江西龍去望江東。此言龍分兩片之義也。又云。五行山下問來由。入首便知蹤。又云。水到窮對太極明此

言平今龍也地師若能識得此中奧旨便是大羅仙矣

論立向　辨骨子

立向之道端正爲貴不可歪斜蓋正形正坐雖小地亦能發福所出人丁多是端方倘立向偏邪便成火曜衆煞交攻瘟癀盜賊淫亂奸邪勢所必然得元尤可失元無救矣○立向一法第一南向終日可受陽和之氣第二東向第三西向皆得半日陽光第四北向須面前有砂案方可否則不可立也書云惟有北風吹不得是矣○兼向一法須在一卦之內（如子午兼壬丙或癸丁兼子午是也餘可類推）若兩卦夾雜則不可立矣（如丙兼巳丁兼未是也別卦同推）兼向多至三度若四度則太過矣五度已在兩爻之中謂之歧度地局已夾雜矣斷不可用八宮同推又仁孝書云城門水自丁上朝入宜立巳向爲人元一卦合四九爲友之義得生成配合之道最爲吉利若立別宮之人元向與城門水不能生成配合名爲斷橋格不吉若立天地二元之向更凶○又城門水自艮來必立卯向爲天元一卦合三八爲朋之義得生成配之道合最吉○又城門水自庚來必立未向爲地元一卦合二七同道之義得

生成配合之道最利。餘可類推。雖然、此說終不能執一也。要隨機應變。看其局勢端正。方可用之。若太歪斜則不可立矣（如城門水自丁、來地局是巳亥、方可立巳向、倘地局是子午、則巳向不可立矣餘可類推、）○取旺向一法、上元壬子癸三向。（此係北向平洋少用之）未坤申三向。（倘遇骨子端正面西立申向、西南立未向、用之大吉、）甲卯乙三向。（此是東向用之大妙、）中元四綠運取辰巽巳向。六白運取戌乾亥向。（骨子端正、皆可用之、）下元旺向庚酉辛丑艮寅丙午丁。總之面前無水。宜收旺向。面前有水宜取衰向。取來朝之水。此一定不易之理也。

論局氣以有形之水看無形之氣也

凡立宅安坟須論局氣。局氣得元者旺。失元者衰。（此皆依水論之如上元得坎局即謂之旺局）上元三旺向。如貼近離水立穴。謂之坎局能收坎氣到穴也。貼近艮水立穴謂之坤局能收上元之坤氣也。貼近兌水立穴謂之震局能收震氣到穴也。此不外雌雄交媾之法。別宮同推。

論公位

寶照經云左邊水反長房死離鄉忤逆皆因此右邊水反小房傷風吹婦女隨人走當面水反中房當斷定中男有損傷左右中反房房絕切忌坟塋遭此刼

此是房分之次序一定不易之理若能依此而斷禍福萬無一失

張心鹽云房分一法先以左為長房中為二房右為小房位子判斷禍福再以六十四卦推究長中小三房下之長仲季三孫休咎法以左邊六十四卦中震卦為長房下之長孫坎卦為長房下之仲孫艮卦為長房下之季孫右邊六十四卦中之震卦為小房下之長孫坎卦為小房下之仲孫艮卦為小房下之季孫中房同推三女依此而推

看地局高低

凡平洋立穴山前宜高山後宜低左右亦宜低平穴後一步低一步子孫攸久多壽若穴後有高地或高山重照葬下損丁漸漸高去後嗣必絕穴之左右亦須低平左低長發右低少發若高則不吉催官篇云青龍高長子貧乏白虎高季子消耗惟明堂之內宜漸遠漸高為逆水歸堂大發財祿低則傾瀉蕩然則財散矣然三方低下

之處。必須平夷。若有極低處。便作水論。而局氣不眞矣。○青囊註云。第三法傳送功曹不高壓（言左右砂也。即左右不宜高）第四奇明堂十字有元微（明堂十字。即前後左右。如壬山丙向。卽甲庚壬丙四方爲十字宜淸）十字上有古墓高地或陽宅。蔽塞風氣。穴之大不吉利。

論三吉六秀水

天玉云。三陽六秀二神當立見入朝堂（三陽丙午丁水。二神卽丙丁也。餘同）上元三吉水午艮酉。（居中爻）六秀水丙丁丑寅庚辛。（俱在左右二爻）中元三吉水（實則二吉）乾中巽。（在中爻）四秀水戍亥辰巳。（在左右二爻）下元三吉水卯坤子。（在中爻）六秀水甲乙未申壬癸。（在左右二爻）若合法書之論三吉六秀。則大謬矣。

論零神正神

天玉云。正神百步始成龍。（言局氣宜深長）水短便遭凶。（正神上卽水之短者亦凶）零神不問長和短。（言長短皆好）吉凶不同斷（言吉凶與正神異）得元生旺之位爲正神（取龍）對宮衰敗之位爲零神（取水）法當以零神裝在水上正神裝在龍脈上則煞水到堂正生氣貫腦（煞水煞字當作旺字解論氣則爲煞方在水則爲旺方因水從煞方來故也）此即陰陽交媾之妙而收山出煞之秘也

論父母兄弟子孫

卦之中爻爲父母左右二爻爲子息八卦皆然楊公重父母而輕子息蓋父母居中易清而不雜子息居邊易雜而難清苟能收清三爻功效可徵○天玉云父母排來看子息須去認生尅水上排龍點位分兄弟更子孫○如上元丙午丁爲旺水統龍（丙丁爲統龍之子孫）艮酉爲兄弟丑寅庚辛爲兄弟之子孫○此在一元之中雖非一父母而總是一家骨肉來路雖多不害其爲吉也凶者反是中下二元同推

論淨陰淨陽

青囊序云更有淨陰淨陽法前後八尺不宜雜幹枝交割宜收得清楚不雜他卦便謂之淨辨淨與不淨尤重在到頭一節（前後八尺言穴之前後最近之水到頭一節是也）在三四節不拘（一曲爲之一節）若合法之言淨陰淨陽實屬迷途後學

者毋信之。

論水龍三格　騎龍挾龍攀龍

天元歌云、坐水騎龍爲上格。（水在穴後兜抱）挾龍倚水亦佳城。（穴或貼近左水、或近右水、皆謂挾龍）向水攀龍非不美。後山有水始無衰。（水在穴前朝入、謂之攀龍。然坐後有水繞抱則吉）歸厚錄云、上格騎龍氣蔭腦宮。（旺氣從頭上進、最妙）中格挾龍脅受非空。（氣從腰內入、亦屬甚妙）攀龍湧泉久久眞通。（湧泉、即脚底穴道也。言氣從足下入也、其氣稍緩）立穴之法、近前水爲攀龍。近左右水爲挾龍。近後水爲騎龍。總不出此三法也。○郭景純九章穴法、亦不出此騎挾攀三法也。

編號	書名	作者	說明
占筮類			
1	擲地金聲搜精秘訣	心一堂編	沈氏研易樓藏稀見易占秘鈔本
2	卜易拆字秘傳百日通	心一堂編	
3	易占陽宅六十四卦秘斷	心一堂編	火珠林占陽宅風水秘鈔本
星命類			
4	斗數宣微	【民國】王裁珊	民初最重要斗數著述之一；未刪改本
5	斗數觀測錄	【民國】王裁珊	失傳民初斗數重要著作
6	《地星會源》《斗數綱要》合刊	心一堂編	失傳的第三種飛星斗數
7	《斗數秘鈔》《紫微斗數之捷徑》合刊	心一堂編	珍稀「紫微斗數」舊鈔秘本
8	斗數演例	心一堂編	
9	紫微斗數全書（清初刻原本）	題【宋】陳希夷	斗數全書本來面目；有別於錯誤極多的坊本
10－12	鐵板神數（清刻足本）——附秘鈔密碼表	題【宋】邵雍	無錯漏原版 秘鈔密碼表 首次公開！
13－15	蠢子數纏度	題【宋】邵雍	蠢子數連密碼表 打破數百年秘傳 首次公開！
16－19	皇極數	題【宋】邵雍	清鈔孤本附起例及完整密碼表 研究神數必讀！
20－21	邵夫子先天神數	題【宋】邵雍	附手鈔密碼表 研究神數必讀！
22	八刻分經定數（密碼表）	題【宋】邵雍	皇極數另一版本；附手鈔密碼表
23	新命理探原	【民國】袁樹珊	子平命理必讀教科書！
24－25	袁氏命譜	【民國】袁樹珊	
26	韋氏命學講義	【民國】韋千里	民初二大命理家南袁北韋
27	千里命稿	【民國】韋千里	
28	精選命理約言	【民國】韋千里	北韋之命理經典
29	滴天髓闡微——附李雨田命理初學捷徑	【民國】袁樹珊、李雨田	命理經典未刪改足本
30	段氏白話命學綱要	【民國】段方	民初命理經典最淺白易懂
31	命理用神精華	【民國】王心田	學命理者之寶鏡

編號	書名	作者	備註
32	命學探驪集	【民國】張巢雲	發前人所未發 稀見民初子平命理著作
33	澹園命談	【民國】高澹園	
34	算命一讀通——鴻福齊天	【民國】不空居士、覺先居士合纂	
35	子平玄理	【民國】施惕君	
36	星命風水秘傳百日通	心一堂編	
37	命理大四字金前定	題【晉】鬼谷子王詡	源自元代算命術
38	命理斷語義理源深	心一堂編	稀見清代批命斷語及活套
39－40	文武星案	【明】陸位	失傳四百年《張果星宗》姊妹篇 千多星盤命例　研究命學必備
相術類			
41	新相人學講義	【民國】楊叔和	失傳民初白話文相術書
42	手相學淺說	【民國】黃龍	民初中西結合手相學經典
43	大清相法	心一堂編	重現失傳經典相書
44	相法易知	心一堂編	
45	相法秘傳百日通	心一堂編	
堪輿類			
46	靈城精義箋	【清】沈竹礽	沈氏玄空遺珍
47	地理辨正抉要	【清】沈竹礽	
48	《玄空古義四種通釋》《地理疑義答問》合刊	沈瓞民	玄空風水必讀
49	《沈氏玄空吹虀室雜存》《玄空捷訣》合刊	【民國】申聽禪	
50	漢鏡齋堪輿小識	【民國】查國珍、沈瓞民	
51	堪輿一覽	【清】孫竹田	失傳已久的無常派玄空經典
52	章仲山挨星秘訣（修定版）	【清】章仲山	章仲山無常派玄空珍秘 門內秘本首次公開 沈竹礽等大師尋覓一生末得之珍本！
53	臨穴指南	【清】章仲山	
54	章仲山宅案附無常派玄空秘要	心一堂編	
55	地理辨正補	【清】朱小鶴	玄空六派蘇州派代表作
56	陽宅覺元氏新書	【清】元祝垚	簡易・有效・神驗之玄空陽宅法
57	地學鐵骨秘　附　吳師青藏命理大易數	【民國】吳師青	釋玄空廣東派地學之秘
58－61	四秘全書十二種（清刻原本）	【清】尹一勺	玄空湘楚派經典本來面目 有別於錯誤極多的坊本

62	地理辨正補註　附 元空秘旨　天元五歌　玄空精髓　心法秘訣等數種合刊	【民國】胡仲言	貫通易理、巒頭、三元、三合、天星、中醫
63	地理辨正自解	【清】李思白	公開玄空家「分率尺、工部尺、量天尺」之秘
64	許氏地理辨正釋義	【民國】許錦灝	民國易學名家黃元炳力薦
65	地理辨正天玉經內傳要訣圖解	【清】程懷榮	秘訣一語道破，圖文并茂
66	謝氏地理書	【民國】謝復	玄空體用兼備、深入淺出
67	論山水元運易理斷驗、三元氣運說附紫白訣等五種合刊	【宋】吳景鸞等	失傳古本《玄空秘旨》《紫白訣》
68	星卦奧義圖訣	【清】施安仁	三元玄空門內秘笈　清鈔孤本 過去均為必須守秘不能公開秘密 與今天流行飛星法不同
69	三元地學秘傳	【清】何文源	
70	三元玄空挨星四十八局圖說	心一堂編	
71	三元挨星秘訣仙傳	心一堂編	
72	三元地理正傳	心一堂編	
73	三元天心正運	心一堂編	
74	元空紫白陽宅秘旨	心一堂編	
75	玄空挨星秘圖　附 堪輿指迷	心一堂編	
76	姚氏地理辨正圖說　附 地理九星并挨星真訣全圖　秘傳河圖精義等數種合刊	【清】姚文田等	蓮池心法　玄空六法門內秘鈔本首次公開
77	元空法鑑批點本——附 法鑑口授訣要、秘傳玄空三鑑奧義匯鈔　合刊	【清】曾懷玉等	
78	元空法鑑心法	【清】曾懷玉等	
79	曾懷玉增批蔣徒傳天玉經補註【新修訂版原（彩）色本】	【清】項木林、曾懷玉	
80	地理學新義	【民國】俞仁宇撰	揭開連城派風水之秘
81	地理辨正揭隱（足本）　附連城派秘鈔口訣	【民國】王邈達	
82	趙連城傳地理秘訣附雪庵和尚字字金	【明】趙連城	
83	趙連城秘傳楊公地理真訣	【明】趙連城	
84	地理法門全書	仗溪子、芝罘子	巒頭風水，內容簡核、深入淺出
85	地理方外別傳	【清】熙齋上人	巒頭形勢、「望氣」「鑑神」
86	地理輯要	【清】余鵬	集地理經典之精要
87	地理秘珍	【清】錫九氏	巒頭、三合天星，圖文並茂
88	《羅經舉要》附《附三合天機秘訣》	【清】賈長吉	清鈔孤本羅經、三合訣法圖解
89-90	嚴陵張九儀增釋地理琢玉斧巒	【清】張九儀	清初三合風水名家張九儀經典清刻原本！

編號	書名	作者	備註
91	地學形勢摘要	心一堂編	形家秘鈔珍本
92	《平洋地理入門》《巒頭圖解》合刊	【清】盧崇台	平洋水法、形家秘本
93	《鑒水極玄經》《秘授水法》合刊	【唐】司馬頭陀、【清】鮑湘襟	千古之秘，不可妄傳匪人
94	平洋地理闡秘	心一堂編	雲間三元平洋形法秘鈔珍本
95	地經圖說	【清】余九皋	形勢理氣、精繪圖文
96	司馬頭陀地鉗	【唐】司馬頭陀	流傳極稀《地鉗》
97	欽天監地理醒世切要辨論	【清】欽天監	公開清代皇室御用風水真本
三式類			
98－99	大六壬尋源二種	【清】張純照	六壬入門、占課指南
100	六壬教科六壬鑰	【民國】蔣問天	由淺入深，首尾悉備
101	壬課總訣	心一堂編	過去術家不外傳的珍稀六壬術秘鈔本
102	六壬秘斷	心一堂編	
103	大六壬類闡	心一堂編	
104	六壬秘笈——韋千里占卜講義	【民國】韋千里	六壬入門必備
105	壬學述古	【民國】曹仁麟	依法占之，「無不神驗」
106	奇門揭要	心一堂編	集「法奇門」、「術奇門」精要
107	奇門行軍要略	【清】劉文瀾	條理清晰、簡明易用
108	奇門大宗直旨	劉毗	天下孤本　首次公開 虛白廬藏本《秘藏遁甲天機》
109	奇門三奇干支神應	馮繼明	
110	奇門仙機	題【漢】張子房	
111	奇門心法秘纂	題【漢】韓信（淮陰侯）	奇門不傳之秘　應驗如神
112	奇門廬中闡秘	題【三國】諸葛武侯註	
選擇類			
113－114	儀度六壬選日要訣	【清】張九儀	清初三合風水名家張九儀擇日秘傳
115	天元選擇辨正	【清】一園主人	釋蔣大鴻天元選擇法
其他類			
116	述卜筮星相學	【民國】袁樹珊	民初二大命理家南袁北韋
117－120	中國歷代卜人傳	【民國】袁樹珊	南袁之術數經典

編號	書名	作者	簡介
占筮類			
121	卜易指南(二種)	【清】張孝宜	民國經典，補《增刪卜易》之不足
122	未來先知秘術——文王神課	【民國】張了凡	內容淺白、言簡意賅、條理分明
星命類			
123	人的運氣	汪季高(雙桐館主)	五六十年香港報章專欄結集！
124	命理尋源	【民國】徐樂吾	民國三大子平命理家徐樂吾必讀經典！
125	訂正滴天髓徵義		
126	滴天髓補註 附 子平一得		
127	窮通寶鑑評註 附 增補月談賦 四書子平		
128	古今名人命鑑		
129-130	紫微斗數捷覽(明刊孤本)[原(彩)色本] 附 點校本 (上)(下)	馮一、心一堂術數古籍整理編校小組 整理	明刊孤本 首次公開！
131	命學金聲	【民國】黃雲樵	民國名人八字、六壬奇門推命
132	命數叢譚	【民國】張雲溪	子平斗數共通、百多民國名人命例
133	定命錄	【民國】張一蟠	民國名人八十三命例詳細生平
134	《子平命術要訣》《知命篇》合刊	【民國】鄒文耀、【民國】胡仲言 撰	《子平命術要訣》科學命理；《知命篇》易理皇極、命理地理、奇門六壬互通
135	科學方式命理學	閻德潤博士	匯通八字、中醫、科學原理！
136	八字提要	韋千里	民國三大子平命理家韋千里必讀經典！
137	子平實驗錄	【民國】孟耐園	作者四十多年經驗 占卜奇靈 名震全國！
138	民國偉人星命錄	【民國】囂囂子	幾乎包括所民初總統及國務總理八字！
139	千里命鈔	韋千里	失傳民初三大命理家-韋千里 代表作
140	斗數命理新篇	張開卷	現代流行的「紫微斗數」內容及形式上深受本書影響
141	哲理電氣命數學——子平部	【民國】彭仕勛	命局按三等九級格局、不同術數互通借用
142	《人鑑——命理存驗·命理擷要》(原版足本)附《林庚白家傳》	【民國】林庚白	傳統子平學修正及革新、大量名人名例
143	《命學苑苑刊——新命》(第一集)附《名造評案》《名造類編》等	【民國】林庚白、張一蟠等撰	史上首個以「唯物史觀」來革新子平命學結集
相術類			
144	中西相人探原	【民國】袁樹珊	按人生百歲，所行部位，分類詳載
145	新相術	【美國】李拉克福原著、【民國】沈有乾編譯	通過觀察人的面相身形、色澤舉止等，得知性情、能力、習慣、優缺點等
146	骨相學	【民國】風萍生編著	結合醫學中生理及心理學，影響近代西、日、中相術深遠
147	人心觀破術 附運命與天稟	【日本】管原如庵、加藤孤雁原著，【民國】唐真如譯	觀破人心、運命與天稟的奧妙

編號	書名	作者	說明
178	《星氣(卦)通義(蔣大鴻秘本四十八局圖并打劫法)》《天驚秘訣》合刊	題【清】蔣大鴻 著	江西興國真傳三元風水秘本
179	蔣大鴻嫡傳天心相宅秘訣全圖附陽宅指南等秘書五種	【清】蔣大鴻編訂、【清】汪云吾、劉樂山註	蔣大鴻徒張仲馨秘傳陽宅風水「教科書」！
180	家傳三元地理秘書十三種		真天宮之秘 千金不易之寶
181	章仲山門內秘傳《堪輿奇書》附《天心正運》	【清】章仲山傳、【清】華湛恩	直洩無常派章仲山玄空風水不傳之秘
182	《挨星金口訣》、《王元極增批補圖七十二葬法訂本》合刊	[民國]王元極	秘中秘——玄空挨星真訣公開！字字千金！
183-184	《家傳三元古今名墓圖集附謝氏水鉗》《蔣氏三元名墓圖集》合刊(上)(下)	(清)孫景堂，劉樂山，張稼夫	蔣大鴻嫡傳風水宅案、幕講師、蔣大鴻、姜垚等名家多個實例，破禁公開！
185-186	《山洋指迷》足本兩種 附《尋龍歌》(上)(下)	【明】周景一	風水巒頭形家必讀《山洋指迷》足本！
187-196	蔣大鴻嫡傳水龍經注解 附 虛白廬藏珍本水龍經四種(1-10)	【清】蔣大鴻編訂、【清】楊臥雲、汪云吾、劉樂山註	蔣大鴻嫡傳一脈授徒秘笈 希世之寶 千年以來，師師相授之秘旨，破禁公開！完整了解蔣氏嫡派真傳一脈三元理、法、訣！ 附已知最古《水龍經》鈔本等五種稀見《水龍經》
197	批注地理辨正直解	【清】章仲山	無常派玄空必讀經典未刪改本！
198	《天元五歌闡義》附《元空秘旨》(清刻原本)		
199	心眼指要(清刻原本)		
200	華氏天心正運	【清】華湛恩	
201-202	批注地理辨正再辨直解合編(上)(下)	【清】蔣大鴻原著、【清】姚銘三再註、【清】章仲山直解	失傳姚銘三玄空經典重現人間！名家：沈竹礽、王元極推薦！
203	章仲山注《玄機賦》《元空秘旨》附《口訣中秘訣》《因象求義》等九種合刊	【清】章仲山	近三百年來首次公開！ 章仲山無常派玄空秘密，和盤托出！章仲山注《玄機賦》及章仲山原傳之口訣及筆記
204	章仲山門內真傳《三元九運挨星篇》《運用篇》《挨星定局篇》《口訣篇》等合刊	【清】章仲山、柯遠峰等	
205	章仲山門內真傳《大玄空秘圖訣》《天驚訣》《飛星要訣》《九星斷略》《得益錄》等合刊	【清】章仲山、冬園子等	
206	撼龍經真義	吳師青註	近代香港名家吳師青必讀經典
207	章仲山嫡傳《翻卦挨星圖》《秘鈔元空秘旨》 附《秘鈔天元五歌闡義》	【清】章仲山傳、【清】王介如輯撰	透露章仲山家傳玄空嫡傳學習次弟及關鍵不傳之秘
208	章仲山嫡傳秘鈔《秘圖》《節錄心眼指要》合刊		
209	《談氏三元地理大玄空實驗》附《談養吾秘稿奇門占驗》	【民國】談養吾撰	史上首次公開「無常派」下卦起星等挨星秘密之書
210	《談氏三元地理濟世淺言》附《打開一條生路》		了解談氏入世的易學卦德爻象思想
211-215	《地理辨正集註》附 《六法金鎖秘》《巒頭指迷真詮》《作法雜綴》等(1-5)	【清】尋緣居士	集《地理辨正》一百零八家註解大成精華 匯巒頭及蔣氏、六法、無常、湘楚等秘本 史上最大篇幅的《地理辨正》註解
216	三元大玄空地理二宅實驗(足本修正版)	【民國】尤惜陰(演本法師)、榮柏雲撰	三元玄空無常派必讀經典足本修正版

編號	書名	作者	簡介
217	蔣徒呂相烈傳《幕講度針》附《元空秘斷》《陰陽法竅》《挨星作用》	【清】呂相烈	蔣大鴻門人呂相烈三元秘本三百年來首次破禁公開！
218	挨星撮要（蔣徒呂相烈傳）		
219-221	《沈氏玄空挨星圖》《沈註章仲山宅斷未定稿》《沈氏玄空學（四卷原本）》合刊（上中下）	【清】沈竹礽 等	揭開沈氏玄空挨星五行吉凶斷的變化及不同用法 章仲山宅斷未刪本、沈氏玄空學原本佚文、玄空挨星圖稿鈔本 大公開！
222	地理穿透真傳（虛白廬藏清初刻原本）	【清】張九儀	三合天星家宗師張九儀畢生地學精華結集
223-224	地理元合會通二種（上）（下）	【清】姚炳奎	分發兩家（三元、三合）之秘，會通其用 詳解注羅盤（蔣盤、賴盤）；義理、斷驗俱精
其他類			
225	天運占星學 附 商業周期、股市粹言	吳師青	天星預測股市，神準經典
226	易元會運	馬翰如	《皇極經世》配卦以推演世運與國運
三式類			
227	大六壬指南（清初木刻五卷足本）		六壬學占驗課案必讀經典海內善本
228-229	甲遁真授秘集（批注本）（上）（下）	【清】薛鳳祚	明清皇家欽天監秘傳奇門遁甲 奇門、易經、皇極經世結合經典
230	奇門詮正	【民國】曹仁麟	簡易、明白、實用，無師自通！
231	大六壬探源	【民國】袁樹珊	民初三大命理家袁樹研究六壬四十餘年代表作
232	遁甲釋要	【民國】徐昂	推衍遁甲、易學、洛書九宮大義！
233	《六壬卦課》《河洛數釋》《演玄》合刊		疏理六壬、河洛數、太玄隱義！
234	六壬指南（【民國】黃企喬）	【民國】黃企喬	失傳經典 大量實例
選擇類			
235	王元極校補天元選擇辨正	原【清】謝少暉輯、【民國】王元極校補	三元地理天星選日必讀
236	王元極選擇辨真全書 附 秘鈔風水選擇訣	【民國】王元極	王元極天昌館選擇之要旨
237	蔣大鴻嫡傳天星選擇秘書注解三種	【清】蔣大鴻編訂、【清】楊臥雲、汪云吾、劉樂山註	蔣大鴻陰陽二宅天星擇日日課案例！
238	增補選吉探源	【民國】袁樹珊	按表檢查，按圖索驥： 簡易、實用！
239	《八風考略》《九宮撰略》《九宮考辨》合刊	沈瓞民	會通沈氏玄空飛星立極、配卦深義
其他類			
240	《中國原子哲學》附《易世》《易命》	馬翰如	國運、世運的推演及預言